つなぐ世界史

世界史

2 近世

責任編集
岩下 哲典・岡 美穂子

清水書院

はじめに

　太古の昔から，人は時を超え，海や山を越え，つながってきた。日本各地に連綿と伝わる伝統芸能や伝統産業は，この列島が遥か昔からユーラシアや南太平洋とつながってきたことを物語っている。

　「つなぐ」ことは，偶然であれ，人の思いや行為から始まる。自分の所にないものを求めて交易が始まり，その結果として地域がつながったり，結社などの形で思いを共有する人々が集団を形成して，大きな社会変化を促すうねりとなったりしたこともある。歴史とは様々な事象の相互結合によって生じた過去のことであり，いかなる現象も単独では存在しない。ここに今いる自分の存在さえも，様々な過去の出来事や出会いが互いにつながり，幾重にも積み重なった結果である。

　一般の人が最も長く歴史を学ぶのは，学校教育の課程であろう。とはいえ，歴史学習の時間は多くの生徒にとっては自分たちとは関係のないことを学ぶ，よそよそしいものになっている。どこの教室でも「歴史は暗記の強要」「自分の人生とは関係がないから，興味がない」といった言葉が聞かれる。それはひとえに，歴史の授業で学ぶ内容が，生徒たちの日々の生活とつながっておらず，現実感に乏しいためであると考える。

　おそらく後世には，この3年間（2020〜2022）に起きたことは世界史の転換点であったと言われるようになるであろう。今，現実に世界で起きている重大な事象が，歴史的な背景や前例を持つものであると教えた教師がどれくらいいただろうか。たとえばロシアのウクライナ侵攻は，今はないソ連という国の成り立ちや第一次・第二次世界大戦との関わりを再考するのに絶好のチャンスであったし，COVID-19の流行とその影響を受けた世界の動きを，人類と感染症の戦いや20世紀前半のいわゆる「スペイン風邪」と関連づけて取り上げることもできたはずである。「充実した授業をしたくても，受験準備のカリキュラムをこなすので精一杯。入試に直結しないことに生徒は関心を持たない」などと言うのは，不可抗力を言い訳にした逃げの言葉でもある。

　大学入試のための学校教育。それを当たり前のように考えてきた結果が，2006年秋の世界史未履修問題であった。日本全国の学校で，必履修科目の世界史の授業を削って他の科目の補習時間に宛がっていたことが発覚したのである。それを契機に歴史学界や地理学界から歴史教育改革の声が上がり，日本と世界の近現代史を「つなぐ」科目として「歴史総合」が誕生した。その最大のコンセプトとして，高等学校学習指導要領にある最初の大項目「歴史の扉」には「私たちに関する諸

3

事象が，日本や日本周辺の地域及び世界の歴史とつながっていることを理解する」と掲げられた。子どもたちにとって馴染みのない言葉の羅列と化した歴史の授業を「自分事」として再認識させようという狙いが伝わってきた。

　2022年4月，「歴史総合」の授業が満を持して始まった。ところが，いざ始まってみると，教師は生徒たちが求める「受験のための学習」と軋轢が生じないよう苦慮を強いられることになった。その結果，授業の内容を以前のものから大きく変えることができず，受験者が多い日本の近現代史だけを教えてみたり，週2時間の内，日本史と世界史を別々に1時間ずつ教えてみたりと，その場しのぎの混乱が起きたとも聞く。その背景には，主体的に歴史を理解することを目的としていたはずの「つながり」を学習する意義が，十分に理解されていなかったことがあるのではないだろうか。指導要領の意を汲んで，日本史と世界史をつなげる工夫に努める教師も多く存在するはずである。そこで私は，日本よりもさらにミクロな世界，すなわち彼らが生きる「地域」につながる世界史を題材に選ぶことで，歴史をもっと「自分事」に感じられる機会を増やそうではないか，と提案してみたい。

　身の回りの地域と世界がつながっていることに私が気づかされたのは，2001年11月6日，山口県防府市郊外の公民館で開催されていた地域の文化祭で，戦前にアフガニスタンへ農業指導員として渡った，尾崎三雄という人が撮影した写真を見たことがきっかけだった。その年の9月11日に同時多発テロが起き，アフガニスタンが注目される中で，尾崎氏の遺族が遺品を公民館の文化祭へ出品したのだった。当時，私は山口大学の大学院に通学し，偶然から教育学部におられたイスラーム研究者の中田考氏の学生と知り合い，連れ立って公民館へ出かけた。私が尾崎三雄のことを，教え子を通じて一橋大学の加藤博氏に伝えると，日本中東学会の目に留まり，本格的な調査研究が始まった。その結果，5年後の2006年に，同学会が研究成果を公開することになり，その際，山口県内の高校生にも県内在住のムスリムや中東滞在経験者に聞き取り調査をして発表させることになった。徳山，下関南，山口，宇部の4校の生徒が自分の住んでいる地域で調査を行い，夏休みには，酒井啓子氏，臼杵陽氏，加藤博氏，三浦徹氏，鈴木均氏などの研究者が来山して，セミナーを実施した。全国初の高校生による中東・イスラーム世界の研究であったと言える。こうして迎えた秋の公開講演会では，日本中東学会会員の飯塚正人氏から「君たち高校生が行った聞き取り調査は，自分たち研究者も同様のことを行っている。違いがあるとすれば，その調査結果の解釈力の違いだけだ。」と，生徒たちの半年にわたる活動を賞賛していただいた。生徒は，「中東・

イスラーム世界は，自分たちが思っていた以上に多様であり，日本の生活様式だけがすべてではないことを知ることができた」と，日本の文化をも相対化する視点を持てたことを述べていた。尾崎三雄という人物の掘り起こしは，まさに一地方の埋もれてしまいそうな史実が，中東研究者に見出され，さらに高校生の研究にまで広がった出来事であった。

　日本の歴史が世界の歴史とつながっていたことは，言葉で説明すればある程度は理解できる。しかしながらそのつながりをさらに身近に感じるためには，やはり生徒自身が生きる地域と世界がつながる事例を体感できることに勝るものはない。

　本書の内容からは多岐にわたる日本の地域が古代から世界とつながっていたことが一目瞭然である。教科書でもよく知られた話を深掘りしたものもあれば，ほとんど一般には知られていない話もある。授業などでも補助教材として使いやすいように，総じてコンパクトかつ俯瞰的な視野から描かれている。

　本書で自然に「つながる」ことよりも「つなぐ」という視点を重視したのは，執筆を依頼した方々に，より主体的に何と何をつなげて歴史を紡ごうとしているのかを示していただくためであった。すでに歴史を「つなぐ」ことには優れた実績のある方々に依頼することにしたが，それでも原稿の依頼時には，次のような視点を各自意識していただくようお願いした。

　　1　地域をつなぐ
　　2　過去と現在をつなぐ
　　3　歴史への様々な「思い」をつなぐ
　　4　最新の研究成果と市民をつなぐ
　　5　次世代の未来につなぐ

　私たちの生きる現代世界が，どのようなつながりによって形成されてきたのかを，本書を通して感じていただければ嬉しく思う。私たち編集委員も執筆者も読者の皆様とのつながりを大切にして，過去と現在，現在と未来をつなぐ役割を本書によって果たしたい。

編集委員を代表して
藤村　泰夫

第2巻　序

　本巻は16世紀から19世紀の世界につながる日本と世界各地の歴史をあつかう。16世紀は今からおよそ500年前である。30年1世代とすると，500年は17世代である。祖父母の世代から孫の世代までが4世代，120年程度なので，500年前はその約4倍。かなり遠い時代だ。日本史の時代的には，応仁・文明の乱直後から戦国時代，織豊政権，そして江戸幕府（徳川政権）崩壊まで。17代前のわが祖先は，戦国の世で戦っていたのか，逃げ回っていたのか，高みの見物をしていたのか。自分が存在しているのだから，祖先はその時代のなかで子を残したのだろうくらいは想像ができる。人の「生」の偶然性に思いをいたしたい。

　世界史では，16世紀直前にコロンブスが北米に到達した。アジア方面では，ヴァスコ・ダ・ガマがインド航路を通過してカリカット（現，コジコーデ）に至った。16世紀は，ドイツのマルティン・ルターやスイスのカルヴァンの宗教改革，イギリス国教会の成立，イエズス会の世界的展開，科学者ガリレオの活躍など，なにか心がざわつく時代だ。17世紀は，イギリスでは清教徒革命や名誉革命で議会制度が進展し，フランスは絶対王政（最近では「絶対」は疑問視されている），ロシアではツァーリズム，明清の交替があった。自由主義と覇権主義，どこかで聞いたことがないだろうか。18世紀はプロイセン王国の成立やアメリカ独立革命，フランス大革命など，国家統一や市民革命の時代。だいぶ馴染みのある時代になって来た。19世紀には，グエン朝によるベトナム統一，ナポレオン戦争，アヘン戦争，太平天国の乱，クリミア戦争があった。人間はなぜ戦争をするのだろうか。

　これら16世紀から19世紀の歴史のなかで，人類にとって重要な要素は国民国家，民主主義，資本主義，啓蒙思想，科学・教育への信頼である。それらがさらに世界的，現代的，そして未来的に展開をするのが，20世紀であり，本シリーズ第3巻につながる。誤解を恐れずに言えば，本巻であつかう時代は，今日の世界の枠組みや思想・信条のかたちが出来上がった時代である。日本では，内乱から統一国家の形成，いわゆる「鎖国」（海禁）から「開港・開市」の時代，そして割拠状態から明治の統一国家にむかう時期にあたる。

　上記のような世界史的事がらと日本史的なそれが，本巻ではどのように切り結ぶのか，ぜひとも，読んでいただきたい。

　最初は珠玉の各概説で，時代の風を感じてほしい。各論考やコラム，例えば16世紀は，物や金や人や情報がいかに移動し影響を及ぼしたのか。17世紀は，「いわゆる鎖国」前後のダイナミックな動きが感得される。18世紀は，はたして日本は「鎖

国」なのかといった驚きが漏れるかもしれない。19世紀は，いよいよ日本が世界に再デビューする。その新しい時代の風を読み取ってほしい。

　ところで，私たち本書にかかわった者が共通基盤とする歴史学は，史料に基づく学問である。史料を解釈し，史料を大切にする学問だ。史料とはその当時の人間の手紙や日記などの私文書や通達・辞令などの公文書，編纂物・書籍のみならず，人骨や生活用品や機械・家屋・遺構，その他，当時の人とかかわったもので残されたもの，ありとあらゆるものが史料となりうる。もちろん研究する前に，この史料は本当に当時のものなのか吟味もしている。これを「史料批判」と言っている。私たちは使う史料がフェイク（例えば偽文書）でないことを確定する。偽文書で構築した歴史は偽史になってしまうからだ。

　ただし，なぜ偽文書が作成されたのか，その背景を研究することは重要だ。つまり，なぜ偽史がつくられようとしたのか，つくられたのかを研究することは，歴史学の研究として成り立つ。区別したいところだ。

　ともかく，「史料批判」によって史料が利用可能であれば，静かに史料にむきあう。すると史料やそれを残した人，史料に登場する人たちが自然と語り掛けてくる。「私は，ここにいる。」「私たちは，ここにいる。」「こう考えている。」「こう行動した。」「それはこのような理由からだ。」などと。

　静かに史料にむきあって得られた知見や見えてきた歴史を記述して，論文や書籍にする。それらの経験を通して書いた貴重な成果が，本書には多数収録されている。いずれも一般読者に読みやすいようにやさしく記述することを心がけた。また，専門家でないと生の史料をあつかったり読んだりするのは難しい場合もある。史料と一般読者を「つなぐ」役割も本書では果たしたい。

　そもそも人間には，ざっくりとした未来が見えるだけだ。ゆえにもう少し具体的に見通したいと思う。そのためには自分たちの歩んできた道を振り返るしかない。その道しるべが史料であり，解説書の一つが本書を含む全3巻の本シリーズかと思う。

　本書を含む全3巻を味読いただければ幸いである。そしてできれば私たちは読者とともに歩みたいと思っている。

　　「ともに　あゆめば　風　ひかる」
　　　（坂村真民著・藤尾秀昭編『坂村真民一日一詩』〔致知出版社〕4月15日より）

本巻責任編集者を代表して　岩下哲典

目次

[凡 例]

● 年代は，陰暦の月日を示したり，史料の条文を示したりする場合を除き，西暦を主体
とし，元号を（　）で示しました。

● 漢字は，史料の引用文も含め，常用漢字を用いました。ただし，常用漢字がその旧字体
とは本来別字である場合や，存命の方の人名，現在も継承されている名跡などについ
てはその限りではありません。

● 用語は主に高等学校の歴史科目で用いられる表記に準じ，全体を通して統一しました。
ただし，学問上の立場や観点の違いをふまえ，統一しなかった場合もあります。

● 主な人名には生没年や在位年を示しました。

● 文中に，現在では不適切と思われる表現がありますが，史料原文や当時の時代性に鑑み，
そのままの表現で掲載しました。

● 参考文献は，執筆時に特に参照したもののほか，一般読者が入手しやすいもの・読みや
すいものを中心に挙げました。煩瑣を避けるため，学説の典拠や文献を逐一示してい
ませんが，諸氏の研究成果に負うところは多く，その学恩に感謝申し上げます。

第 1 章

16世紀の世界

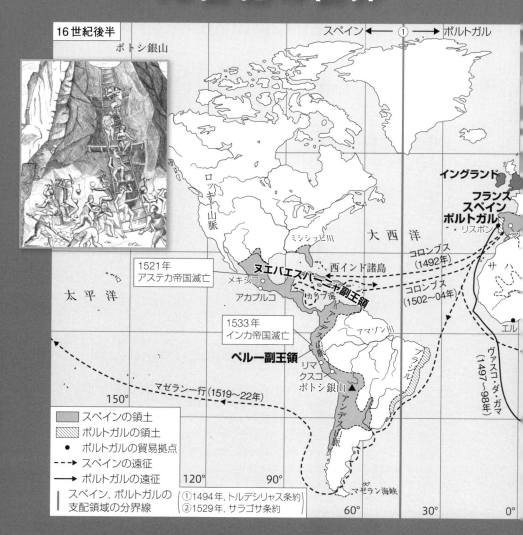

16世紀後半
ポトシ銀山

スペイン ← ① → ポルトガル

ロッキー山脈

ミシシッピ川

大　西　洋

コロンブス
(1492年)

西インド諸島

イングランド

フランス
スペイン
ポルトガル
リスボン

サ　ハ

1521年
アステカ帝国滅亡

ヌエバエスパ

メキシコ

ニャ副王領

コロンブス
(1502〜04年)

太　平　洋

アカプルコ

カリブ海

アンデス山脈

アマゾン川

1533年
インカ帝国滅亡

ペルー副王領

リマ
クスコ
ポトシ銀山

ブラジル

ヴァスコ・ダ・ガマ
(1497〜98年)

エル

マゼラン一行(1519〜22年)

150°

120°   90°

アンデス山脈

60°   30°   0°

マゼラン海峡

■　スペインの領土
▨　ポルトガルの領土
●　ポルトガルの貿易拠点
- - -　スペインの遠征
→　ポルトガルの遠征

| スペイン，ポルトガルの
支配領域の分界線 | ①1494年，トルデシリャス条約
②1529年，サラゴサ条約 |

豊臣秀吉

ポルトガル ←──②──→ スペイン

スウェーデン

モスクワ大公国

シベリア

神聖ローマ
帝国

ヒヴァ・ハン国

モンゴル高原

教皇領 ヴェネツィア
共和国 オスマン帝国
地中海 イスタンブル

ブハラ・
ハン国

サファヴィー朝

イスファハーン

明

北京
南京 平京

朝鮮

日本

石見銀山

琉球

寧波

ラ 砂漠

アラビア
半島

ムガル
帝国

ゴア
カリカット

広州

台湾

マカオ

太平洋

30°

ソンガイ王国

ニジェール川 川

アユタヤ朝
(シャム)

マニラ

マゼラン一行(1519~22年)

フィリピン諸島

ミナ

チャンパー

マレー半島

マラッカ

スマトラ島

モルッカ諸島

ニューギニア島

インド洋

ジャワ島

ティモール島

0°

モザンビーク

マダガスカル島

30°

喜望峰

30° 60° 90° 120° 150°

60°

30°

0°

30°

世界の一体化の時代

村井 章介

1519〜1522年のマゼラン船隊による世界周航は、「近代世界システム」と呼ばれる地球規模のつながりの誕生を象徴する事件だった。しかしマゼラン（1480頃〜1521）自身は、太平洋を横断して到達したフィリピンで、先住民との衝突により死亡した。これはまた、そのつながりが、ヨーロッパ勢力に進出された側の苦痛を避けがたく伴ったことを象徴する。

「大航海時代」のスペインとアメリカ

15世紀末、ポルトガルはアフリカ沿岸を大回りしてインドへ、スペインは大西洋を横断してアメリカ大陸へ、それぞれ到達した。インドに初めて到達したヴァスコ・ダ・ガマ（1469頃〜1524）は、その航海の目的を問われて「キリスト教徒と香料」と答えたという。

1492年のアメリカ大陸「発見」のわずか2年後、イベリア両国は、ローマ教皇の承認のもと、アフリカ西端ヴェルデ岬諸島の西方370レグア（1レグアは約5.9km）を通る子午線を分界として、西側をスペイン、東側をポルトガルの勢力範囲とすることで合意した（トルデシリャス条約、図1）。分界線の東側に突き出たブラジルを除く中南米諸地域はことごとくスペイン領となり、1520〜1530年代に、コルテス、ピサロら征服者たち（コンキスタドーレス）によって、メキシコのアステカやマヤ、ペルーのインカなどの高文明があいついで滅ぼされた。追い討ちをかけるかのように、ヨーロッパ人の持ちこんだ天然痘以下の疫病が猛威をふるい、人口の激減をまねいた。

西回りでモルッカ諸島（インドネシア東部、別名香料諸島）に至ったスペインは、ポルトガ

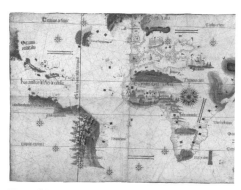

図1 「カンティノ図」（1502年, 部分） トルデシリャス条約による分界線が描かれている。／Alamy

ルに対して，分界線を地球の真うらに及ぼす解釈を唱えた。これを採れば香料諸島がスペイン領となる可能性が高いため，ポルトガルは1529年のサラゴサ条約で同諸島を死守する一方，より西寄りのフィリピンでスペインが征服を進めることを黙認した。こうして太平洋はスペインの海となり，1564年以降メキシコのアカプルコとフィリピンの間に定期航路が開かれ，1571年にフィリピン総督がマニラを占領して首都とした。1540年代，中南米でポトシ以下有力な銀山があいついで発見され，1570年代にアマルガム精錬法により銀産の爆発が生じると，太平洋航路によりフィリピン経由で中国へ流入し，銀中心の通貨体制を支えた。一方大西洋を渡った銀は，ヨーロッパで価格革命を引き起こしていく。

「大航海時代」のポルトガルとアジア

　1510年，ポルトガルはインド西岸のゴアを占領し，以後ここがアジア展開の中枢となった。翌年にはマレー半島西岸のマラッカ王国を滅ぼして要塞を築き，まもなく当面の目的地である香料諸島に到達した。その一方で，「世界の十字路」マラッカを拠点に，中国産の生糸や絹織物，陶磁器などの獲得をねらって，東北方に手を延ばしていく。1517年に使節を広州に送って国交開始を願ったが，海禁を楯に拒否されたため，南中国沿岸の密貿易ルートに身を投じて，1540年に浙江・舟山群島の双嶼（そうしょ）に定着した。

　ポルトガルは，アジアの大半の地域において，中南米におけるスペインのように征服者としてふるまったわけではなく，長い歴史をもつ中国式外洋帆船ジャンクの航路をたどって，開放的なアジア交易圏に参入したにすぎなかった。1540年代に生起した鉄砲・キリスト教の日本伝来を見ても，ヨーロッパ人を載せてきた船は，海禁により合法的活動の場を奪われた中国人密貿易者のジャンクだった。

　彼らは，戦国の分裂状態のなかで国家的統制から離脱した西日本の海上勢力や，新参のポルトガル勢力などと交ざりあい，多民族化し，明や朝鮮から「倭寇」の名で呼ばれた。しかし，ゴアやマラッカの速やかな

図2　「南蛮屏風」（右隻，部分。狩野内膳作，神戸市立博物館蔵）／Photo：Kobe City Museum／DNPartcom

15

占領が語るように，ヨーロッパ勢力の特徴は，何よりも武装船や鉄砲・大砲を擁する優越した武力にあり，その行使は，「不信者」を正しい信仰と文明へ導くという，キリスト教徒としての選民意識に支えられていた。

　ポルトガル船は 1550 年に初めて平戸に入港し，1557 年に明から広州にほど近いマカオでの居住を認められると，平戸（のち長崎）・マカオ航路が日中間の幹線航路として定着し，いわゆる「南蛮貿易」が栄えた（図 2）。

イスラーム圏の拡大，ヨーロッパとの対峙

　ここまで「大航海時代」という観点から 16 世紀を見てきたが，アフロ・ユーラシア大陸に限っていえば，むしろキリスト教勢力とイスラーム教勢力との対峙こそが，世界をつなぐおもな要因だった。「大航海時代」の始まり自体，15 世紀末に前者が後者をイベリア半島から駆逐した再征服運動（レコンキスタ）が，アフリカ西海岸へとあふれ出したことにある。しかし巨視的には前者の優勢はむしろ例外で，東欧から西アジアにかけての地域では，比較的あたらしく興起した強大なイスラーム王朝が栄えていた。これにより東方世界への近道が塞がれていたことも，「大航海時代」を導いた重要な動因だった。

　13 世紀末の小アジアに興起したオスマン帝国（〜 1922）は，14 世紀後半以降，海峡を越えてバルカン半島へ領土を拡げ，1453 年にはビザンツ帝国を滅ぼした。1517 年にはマムルーク朝（1250 〜）を滅ぼしてエジプトを併合し，さらにフランス国王との同盟のもと神聖ローマ帝国・ハンガリーと対峙してウィーンを包囲したり，スペイン・ヴェネツィア・ローマ教皇の連合艦隊を撃破して地中海の制海権を握ったり，強盛を誇った。1501 年，オスマン帝国の東隣地域からイスラーム教シーア派のサファヴィー朝（〜 1736）が興起し，1508 年にはバグダードを占領した。16 世紀を通じてオスマン帝国軍に押され後退を余儀なくされたが，1597 年，イスファハーンに遷都して以降勢力をもり返した。

　さらに東方のインド亜大陸には現在 5 億を超えるイスラーム人口があり，周辺の中央アジア諸国，マレーシア，中国の西方辺境地帯も，イスラーム圏に属する。16 世紀初頭には，スマトラ島北端にアチェ王国が興り，イスラーム教の東方拡大の拠点となった。現在インドネシアは 2 億 3000 万余のイスラーム人口を擁し，これは世界最大である。

中国の経済拡大，倭賊・胡賊の急成長

　1527 年に開かれた石見銀山で，1533 年に朝鮮半島から伝わった灰吹（はいぶき）精錬法に

より爆発的な増産を見た日本銀が,「倭寇」の手で明へ流入した。当時明では, 経済規模の急拡大の結果, 諸税の納入や軍費の支払いを銀に一本化する変革が進行中で, 底なしの銀需要が生じていた。その引力は, 前述のように, 地球の真うらから銀を引き寄せるほどだった。

「倭寇」の最盛期は1550年代で, その活動は江南や朝鮮の沿岸から中国内陸部に及び, 大都市で殺戮をほしいままにするありさまだった。明は軍事的撃破とだまし討ちを使い分けてその勢力を殺ぐ一方, 1567年に海禁を解除して中国人の海外渡航を許すという, 大転換に踏みきった。しかし, もはや王朝側に海外とのつながりを制御する余力はなく, 民間の担う密貿易が取引額の大半を占める状態に変化はなかった。

戦国動乱を勝ちぬいて「天下人」にのしあがった豊臣秀吉（1537〜1598）は,「唐・天竺」を併呑して世界に君臨すると豪語して, 1592年にとりあえず朝鮮半島へ攻めこんだ。そのよりどころは, 国内戦争を勝ちぬいた軍事力への絶対的な自負と, 中華帝国明の弱体化・権威低下の認識だった。だがその世界構想の内実は, 国内統一で行ってきた「国分け」を大規模にしただけで, 同時代の世界情勢をふまえた具体的統治方針は欠如していた。

ともに東アジアの辺境から中華に挑戦した軍事勢力として, 秀吉と好一対の存在に女真人ヌルハチ（1559〜1626）がいる。彼は1580年代に建州女真の首領となり, 明が朝鮮で秀吉軍と交戦しているすきを衝いて, 17世紀初めにほぼ全女真を統一した。1616年には後金という国号と天命という年号を建て, 2年後には「七大恨」を唱えて明に宣戦を布告した。この文書は中華に対して臆するところがまったくなく, 逆に天命われにありという確信にみちている。

■　■　■

世界進出に後れをとったオランダ・イギリスは, イベリア両国がデマルカシオンで「アダムとイブの遺産」を山わけしたことに反発し, 16世紀後半には国家公認の「私掠船」（実態は海賊船）によるイベリア両国船襲撃が頻発するようになる。1600年にイギリス, 1602年にオランダの東インド会社が設立されたことは, つぎの世紀における「近代世界システム」の主役交代のさきがけといえる。

■参考文献
『岩波講座世界歴史11　構造化される世界　14〜19世紀』岩波書店, 2022
合田昌史『マゼラン　世界分割（デマルカシオン）を体現した航海者』京都大学学術出版会, 2006
村井章介『世界史のなかの戦国日本』ちくま学芸文庫, 2012

種子島から考える世界史

関 周一

『鉄炮記』にみえる鉄砲伝来

文之玄昌（1555 〜 1620。臨済宗東福寺派の僧。南浦と号す。）が著した『鉄炮記』（1606 年成立）では，鉄砲の伝来について，次のように述べている（現代語で趣旨を述べる。注記を（ ）で示した）。

1543 年 8 月 25 日，種子島の西村（鹿児島県南種子町）という小浦に，船客百余人を乗せた大船が入港した。その船長が，大明儒生五峯であった。西村を治めていた織部丞は，砂の上に文字を書いて，五峯との間で筆談をした。織部丞は，乗船している客はどこの国の人かについて尋ねた。五峯は，彼らを「西南蛮種の賈胡」（ポルトガルの商人）と説明した。

織部丞の指示で，船は，島主の種子島時堯（1528 〜 1579）がいる赤尾木（鹿児島県西之表市）の港に入った。「賈胡の長」二人は，鉄砲を持参していた。二人の名は，「牟良叔舎」と「喜利志多佗孟太」である。彼らは，種子島時堯の目の前で，鉄砲を使ってみせた。鉄砲は鉛玉を，火薬を使って発射するもので，的を岸畔に置き，身を修めて目を眇にして，百発百中で的を撃った。時堯は，高額な鉄砲 2 挺を購入して「家珍」とし，家臣の篠川小四郎に火薬の調合の仕方を学ばせた。

時堯は，「鉄匠」（刀鍛冶）数人に，鉄砲

図1 鉄砲伝来紀功碑（鹿児島県南種子町，著者撮影）

図2　西村　前浜（鹿児島県南種子町，著者撮影）　王直の船が来航した浜。

図3　種子島の浜と南蛮船来航地（佐々木稔編『火縄銃の伝来と技術』27頁）

の鍛造を命じた。その結果，外形はよく似たものができたものの，底を塞ぐ技術（尾栓ネジの製法）がなかった。

　翌年，「蛮種の賈胡」が，種子島の熊野浦（鹿児島県中種子町）に来航した。「賈胡」の中に「鉄匠」が一人いた。そこで時堯は，矢板金兵衛尉 清定に，底を塞ぐ技術を学ばせた。その修得には時間がかかったが，1年余りの後，「数十の鉄炮」を製造することができた。

後期倭寇と鉄砲生産技術の伝来

　上記の記事は，ポルトガル人の日本初来を示すものであり，日本人とヨーロッパ人との最初の出会いとされるものである。なお，ポルトガル人のアントーニオ・ガルヴァン『諸国新旧発見記』（1563年刊行）によれば，日本初来は1542年となる。

　鉄砲を所持して使用したのは，二人のポルトガル人である。だが彼らの乗った船は，ポルトガル船ではなく，大明儒生五峯の船であった。五峯は，

後期倭寇の頭目である王直（?〜1559）の号である。種子島に来航した船は,王直の経営するジャンク船であった。日本人とヨーロッパ人との最初の出会いを用意したのは,後期倭寇であったといえる。

　1540年代,中国人密貿易商を主体とする後期倭寇が,中国大陸沿岸や島嶼などにおいて活動しており,時には略奪を行っていた。ポルトガル人は,中国人密貿易商と連携しつつ,東南アジアや中国において貿易を行った。

　注目されるのは,鉄砲が商品（兵器）として伝わったのみではなく,鉄砲の生産技術が種子島に伝わっていることである。『鉄炮記』は,その過程を次の4段階で述べている。

　①種子島時堯が,商品（兵器）として鉄砲を購入する。

　②篠川小四郎が,火薬の調合の仕方を修得する。

　③ポルトガル人から購入した鉄砲を模倣して銃身を鍛造する。外形を似せることはできたが,底を塞ぐ尾栓を造ることはできなかった。

　④「蛮種」の「鉄匠」が種子島を訪れ,矢板金兵衛に尾栓のネジの作り方を教えた。それによって,火縄銃1挺を鍛造することができた。

　鍵となるのは尾栓の製法,特に雌ネジの製作技法である。ネジ切りの技術は外来の技術で,それまで日本列島内には存在しなかった。その技術が種子島に伝わったのである。雄ネジはヤスリによる手切り,雌ネジは銃尾部の元口にネジ型を差し込んで,回転させながら,銃身の管状内壁面にネジ山を切っていくという方法だったと考えられる。

　明の鄭 舜 功（生没年不詳）は,1556年に来日して豊後国の大友氏のもとに滞在し,『日本一鑑』という日本研究書を著している。同書は,「手銃」（鉄砲）について,初め「仏郎機国」（ここではポルトガル）より出て,「国の商人」（中国の商人,すなわち後期倭寇）が初めて「種島（種子島）の夷」に伝えて作ったものである,と述べている。これは,鉄砲の生産技術の伝来について,同時代人の認識を示したものだといえる。

世界各地への鉄砲の広がり

　種子島にもたらされた鉄砲は,ヨーロッパで開発された,小口径のアルケブス銃を原型とする。15世紀から16世紀のヨーロッパでは,国家間の

戦争に火器を大量に導入した。鉄砲の有効な使用法として，開けた野外の戦場において，銃隊編制の大人数の銃手が，指揮官の号令のもと，一斉に射撃する戦法が確立した。

　イタリアの支配権を巡って，フランスのヴァロア家とオーストリアのハプスブルク家との間で戦われたイタリア戦争（1494〜1559）では，オーストリア側についたスペインの鉄砲隊がアルケブス銃を使用した。その際，木製の銃床を肩に当てて構え，引き金を引いた。

　16世紀初期，ポルトガル船の進出に伴い，東南アジアにも鉄砲が伝わった。港市を支配する王国は，火器の操作の訓練を積んだ傭兵を雇用した。傭兵は，主にポルトガル人から構成された。

　銃砲史研究の通説では，日本に伝来した鉄砲はマラッカ製の銃で，頬付け式のタイプ（アルケブス銃を改良）であったと推測されている。それに対し，ライナー・ダーンハルト氏は，インドのゴアやマラッカなどに設けられた，ポルトガルの火器工廠において製造された鉄砲（インド—ポルトガル式火縄銃）が東南アジアに普及し，それを改良したものが日本の鉄砲だとする説を提起している（中島楽章氏の引用による。ダーンハルト氏の著作は，ポルトガル語と英語の対訳で出版されている）。

原材料の輸入

　鉄砲の銃身と尾栓ネジは鉄製であり，バネと火蓋は真鍮（銅と亜鉛の合金）を使う。

　種子島において砂鉄精錬が行われていたとされるが，中世にまで遡る製鉄炉跡は検出されていない。鄭舜功『日本一鑑』によれば，「手銃」について，日本の鉄は脆いため，かつては「福建の鉄」を密貿易で入手していたが，今は「暹羅（シャム）の鉄」を多く購入していることを述べている。「福建の鉄」「暹羅の鉄」は一種のブランド名で，産地を明記したものとはいえないものの，輸入鉄が使用されていたことはうかがえる。

　亜鉛が日本で国産化されるのは1906年のことであり，真鍮は合金の形で輸入されたものと推測される。

　また火薬（黒色火薬）を造るためには硝石が必要である。『日本一鑑』には，

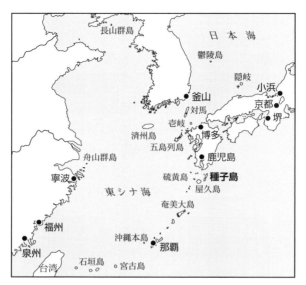

図4　環東シナ海海域における種子島の位置（佐々木稔編『火
縄銃の伝来と技術』26頁）

「硝」（硝石）は日本では産せず，近い場所では中国と密貿易し，遠くは暹羅
（シャム）と交易していることを述べている。硝石は，明では禁制品とされ
ていたため，密貿易によって入手していた。

　火薬の原料である硫黄については，その主要な産地は薩摩硫黄島（鹿児島
県三島村）と考えられる。火薬を発明した北宋との貿易において，硫黄は日
本の主要な輸出品であり，それは明代においても継続していた。

　銃弾の鉛玉に使用される鉛は，鉛同位体の分析から，タイのソントー鉱
山産の鉛塊が輸入されていたことが明らかにされている。大友氏の拠点で
ある豊後府内（大分県大分市）において，キリシタンが使用するメダイ（メ
ダルのこと）の原材料になっている。

　上記の原材料を入手できる場が，種子島であった。16世紀の種子島は，
次のような様々な貿易船が往来していた。

　まず種子島は，南海路（畿内の堺から太平洋を航海）を使用した遣明船の
中継地であった。『鉄炮記』にみえるように，王直のような後期倭寇が来航
して貿易を行っていた。

　さらに種子島氏は，琉球との貿易を行っていた。1521年，種子島忠時は，琉球の三司官（国王を補佐する大臣クラスの役職）から，船1艘の「荷口」すなわち荷物に対する課税を免除されている。琉球王国と種子島氏との間でやりとりされた文書の様式からみると，種子島氏は琉球国王に臣従する形をとった。東南アジア産の原材料は，琉球経由で入手した可能性がある。

　以上みてきたように，種子島は，ヨーロッパを起源とする鉄砲とその生産技術が伝来し，中国や東南アジア産の原材料が集まる場であった。種子島は，16世紀のアジアやヨーロッパとつながっていたのである。

日本畿内への鉄砲生産技術の伝来

　『鉄炮記』は，種子島から日本の畿内へ鉄砲と生産技術が伝来する経緯も述べている。

　　①紀伊国根来寺の杉坊の某公が，種子島時尭に鉄砲を求めてきた。この依頼に感じ入った時尭は，津田監物丞を杉坊に遣わし，入手した鉄砲のうち1挺を贈った。火薬の製法と，発射の仕方も合わせて伝えている。

　なお，文化年間（1804～1818）に成立した『紀伊国名所図絵』によれば，津田監物丞は，根来寺杉坊の人であるため，種子島側の人ではなく，根来寺から種子島に渡った人物であったと考えられる。

　　②和泉国堺の商人である橘屋又三郎が，種子島に1，2年滞在して鉄砲製造の技術を修得して，堺に戻った。

　このように①鉄砲と，火薬の製法と発射方法が根来寺に伝わる，②鉄砲の生産技術が堺に伝わるという経緯で，畿内に鉄砲の生産技術が伝わったのである。こうして堺は，日本有数の鉄砲生産地になっていくのである。

■参考文献
宇田川武久『鉄炮伝来』中公新書，1990
佐々木稔編『火縄銃の伝来と技術』吉川弘文館，2003
関周一『中世の唐物と伝来技術』吉川弘文館，2015
中島楽章編『南蛮・紅毛・唐人』思文閣出版，2013
村井章介『世界史のなかの戦国日本』ちくま学芸文庫，2012

大友氏遺跡の発掘と豊後府内の国際性

坪根 伸也

大友義鎮（宗麟）の地元評価と大友氏館跡の発見

　16世紀に商人として日本を訪れたポルトガル人メンデス・ピントの『東洋遍歴記』には，当時豊後と呼ばれた現在の大分県での，フランシスコ・ザビエルと大友義鎮（宗麟，1530〜1587）の邂逅の様子が記されている。遠くヨーロッパはドイツの，バイセンシュタイン城には，まさにピントの報告そのままの構図でザビエルと宗麟を描いた絵画がある。舞台は豊後府内（現在の大分市）の大友氏館である。1998年，大分県都の玄関口である大分駅から，徒歩約15分という中心市街地の一角でその大名館の跡は発見された。

図1　豊後王に謁見するザビエル
／シェーンボルン伯爵コレクション，
ポンマースフェルデン

　宗麟は大友家の21代目にあたる。最盛期には，北部九州六か国の守護職を兼帯する戦国大名へと成長する。その原動力は，ザビエルとの会見を契機とする南蛮貿易による莫大な経済力であった。ザビエルが日本を去った後，府内にはポルトガル船の来航と，これに伴う多くの外国人宣教師や商人等が来府する。府内の町にはヨーロッパだけでなく，様々な国の人々が行き交い，異国情緒に満ちた珍しい品々で溢れかえっていたことだろう。

　ところが，南蛮貿易都市豊後府内を創

造した立役者である大友宗麟の，地元大分での評判は必ずしも芳しいものではなかった。なぜか？　その人物評価には「キリスト教への異常なまでの傾倒により国を滅ぼした」とする否定的イメージがつきまとってきた。鹿毛敏夫氏は，丹念に史料を検討する中で，このような風評が史料的根拠に基づくものではないことを明示し，大友宗麟が東アジアのみならず，ヨーロッパのカトリック世界とも良好な関係を築くなど，彼の日本国内にとどまらない活動性を評価すべきと主張する。

　鹿毛氏の整理により歴史的真実への道が拓けた。しかし，地域における数百年におよぶマイナスイメージの流布は，そう簡単に払拭できるものではない。過去にも顕彰活動があったにも関わらず，現代に継承されていない事実がその困難さを物語っている。こうした中で大友氏館跡は発見された。

▎大友氏遺跡と南蛮文化発祥都市宣言

　大友氏遺跡は，周知の埋蔵文化財包蔵地「中世大友府内町跡」の中にある。中世大友府内町跡は，豊後府内の中核をなす都市遺跡であり，戦国大名大友氏の本拠地のひとつとして発展してきた。大分川河口近くの左岸に展開する沖積地上に立地し，南北約2.1km，東西約0.7kmの規模をもつ。16世紀後半の大友宗麟・義統の時期に，南蛮貿易を背景に国際貿易都市として最盛期を迎える。

　大友府内町には，南北4本・東西5本の街路を軸に整然とした町並みが造られた。このような特徴は，当時の京都を模倣したものとも言われている。

　町の中心に大友氏館を置き，地方寺院最大級の規模をもつ万寿寺をはじめ，多くの寺社，40ほどの町が配置された。また，中国系の人々が居住する唐人町や，日本布教の拠点となったキリスト教会（ダイウス堂）などの施設があり，日本有数の国際都市であったことを示している。

　唐人町の周辺からは，多量の中国陶磁器の他，東南アジア産の陶磁器，南ヨーロッパ産のワイングラスとして使用された可能性のあるガラス坏，唐枕など貴重な遺物も少なからず出土する。唐人町には貿易に従事する人々が居住していたのだろう。

図2　豊後府内から出土したキリシタン関連遺物
（大分県立埋蔵文化財センター蔵）

　ちなみに，大友府内町跡の出土遺物の中で最も特徴的なものはなにか？
それはキリスト教徒の信仰具である。祈りの際に用いる「ロザリオ」。これ
はクルス（十字架）・コンタツ（数珠）・メダイ（円盤状の金属製品）からなり，
大友府内町跡からは「メダイ」・「コンタツ」が出土している。「メダイ」に
は聖骸布に写し出されたキリストの顔をモチーフとした「ヴェロニカのメ
ダイ」の他，豊後府内で作られた独特な形態をしたメダイも数多く見つか
っている。

　キリスト教府内教会推定地付近の発掘調査では，規則的に配置された墓
群が見つかっている。出土した長方形の木棺内には，胸のところで腕を組み，
頭を北に向け仰臥伸展葬で葬られた人骨も認められ，横臥屈葬で埋葬され
る一般的な墓とは明らかに異なる。このような特徴はキリシタン大名高山
右近の居城，大阪府高槻城のキリシタン墓と多くの点で共通することから，
教会関係のキリシタンの墓と考えられる。

　大友府内町跡から出土する，海外から持ち込まれた陶磁器の産地には，
中国・朝鮮半島・東南アジアがあり，文献史料に記される南蛮貿易の様相
と一致する。ここでの出土遺物の最大の特徴は，その多くが1586（天正
14）年12月の薩摩島津軍の侵攻（豊薩戦争）の際の，火災に伴う焼土層や
ゴミ穴から出土する点である。これにより，1586（天正14）年12月とい
う極めて限定された時期に使用，あるいは集積された品物の様相を純粋に
把握することができる。これは考古学など様々な研究において極めて重要

な意味をもつ。すなわち，長崎や堺といった国際貿易都市の最盛期に先行する初期南蛮貿易期の遺物の様相を都市遺跡レヴェルで捉えることができるのである。

　ところで，南蛮貿易により各地で花開いた南蛮文化とはどのようなものだったのか。南蛮文化が日本固有のものである以上，南蛮文化＝西洋文化とはならない。日本で生起した南蛮文化は，西洋文化に加えて，東洋文化，日本古来の文化が程よくブレンドされている。こういった多様なミックス文化的様相は「南蛮洋櫃」などに象徴される。

　こうした点で豊後府内は，全国に先駆けて本格的な南蛮文化を誕生させた場所といえる。キリスト教宣教師らにより西洋文化が直接持ち込まれ，次第に日本人の手によってカスタマイズされていった。医療面では，医師でありポルトガルの商人であったルイス・デ・アルメイダの功績が大きい。困窮した当時の人々に横行していた「嬰児の間引き」を阻止したいという思いで，現在の「赤ちゃんポスト」にも通じる育児院を設立する。ここでは牛乳で子どもたちを育てたことから，日本における牛乳飲用発祥とも言われている。1557（弘治3）年には，日本初の西洋式病院を開設し，日本初の洋式外科手術が行われた。さらに内科・外科の病棟の他に，ハンセン病患者のための病棟も備えていた。まさに日本における総合病院の先駆である。介護には，信徒によるミゼリコルジア（慈悲の組）と呼ばれるボランティア組織があたった。

　府内教会（ダイウス堂）では，日本人の聖歌合唱隊の編成や，日本人少年たちによるビオラの演奏がなされている。日本人による合唱や西洋楽器の演奏の最初と言われる。続いて1560（永禄3）年のクリスマスには，教会で日本人信者による「アダムの堕落と贖罪の希望」などの西洋劇が日本風の歌をつけて演じられている。これが日本における西洋劇の最初である。また，1581（天正9）年には，コレジオ（高等神学校）が建てられ，哲学などの授業が行われており，大学発祥の地でもあったと言われている。

　大分市では2013（平成25）年に，国際貿易都市長崎の開港（1570）に先立つ，このような歴史的事象の顕彰と周知を目的に「南蛮文化発祥都市宣言」を行った。

史跡を介して地域と世界をつなぐ　そして未来へ

　南蛮文化発祥の端緒を開いた，大友宗麟の科学的な実証に基づく適正な評価と，その拠点であった大友氏館跡の発見。この両輪が揃ったことによって，地域の人々の意識にも大きな変化があった。

　2001（平成13）年に一部が国史跡に指定された大友氏館跡は，その後周囲の「旧万寿寺地区」，「唐人町跡」，「推定御蔵場跡」，「上原館跡」を加え，総面積17.3haにおよぶ範囲を「史跡大友氏遺跡」と総称し，今も指定・公有化を進めている。すでに大友氏館跡は指定・公有化が完了し，庭園跡などの整備が完成して一部公開を行っている。

　事業の推進には多くの人々の理解が必要である。そのため遺跡の価値，可能性についての情報発信を継続している。博多や堺といった世界につながる国際貿易都市としての要素と，戦国大名館を核とする城下町の性格を併せもつ，全国的にも極めて珍しい都市遺跡という評価を軸に，遺跡の説明会，各種シンポジウムやフォーラムなどを，大友氏顕彰会などの民間団体と協力しながら開催を続けている。こうした取組みを通じ，多くの地元の皆さんが，史跡ボランティアガイドとして史跡の価値，素晴らしさを来訪者に伝えている。

　数百年におよぶ，大友宗麟に対する誤った否定的な評価を払拭していくには，次世代を担う子どもたちへの発信も重要である。大分市では2013（平

図3　FUNAIジュニアガイドによる史跡の解説

図4-1　ティセラ日本図(大分市歴史資料館蔵)　ポルトガル人のティセラが1595年頃,宣教師からの報告をもとに描いた日本地図で九州を「BVNGO」と記している。

図4-2　豊後府内(中世大友府内町跡)**の位置**

成25)年から副読本『府内から世界へ　大友宗麟』を作成し,毎年小学校6年生全員に配布し,これを使った授業を実施している。市民を対象に実施している無作為アンケートの結果では,以前は「大友宗麟の功績を知っている」と答えた10代の割合は一桁であったが,直近では50%近い数字となっており,他の年代の回答率を大きく上回った。これも教育現場の取組みの効果であると分析している。史跡地では「FUNAIジュニアガイド」によるガイド活動も行っている。子どもたちは,地元の史跡が世界につながっていたことに驚きと興味をもち,興奮した面持ちでそのことを伝えようとガイドを続けている。その表情は笑顔に満ち溢れており,このような子どもたちが,いずれ社会で活躍するようになれば,数百年の呪縛は一気に解消されるだろう。大友宗麟公生誕500年にあたる2030年の大友氏館跡歴史公園の完成にますます期待が高まる。

■参考文献
NPO法人おおいた豊後ルネサンス『SORIN　日本ではじめてのキリシタン文化がここに』2007
大分市・大分市教育委員会『大友氏遺跡20年の軌跡　地域と大友氏遺跡事業のあゆみ』2022
鹿毛敏夫『大友義鎮』ミネルヴァ書房,2021

信長の黒人「サムライ」弥助

ロックリー・トーマス

　日本人に大人気の戦国の英雄織田信長であるが，実のところ最近まで海外ではあまり知られていなかった。ところが近年，その状況に変化が生じている。それは信長本人のためではなく，彼の人生の最後の年を共に駆け抜けた彼の従者の存在が世界史上，興味深い存在として注目され始めたことによる。彼の従者の名は日本の史料によると「弥助」，「サムライ」としては極めて特異な存在であった。なぜなら彼はアフリカ人だったからである。

弥助とは？

　弥助がどこで生まれたかは分からない。肌の色が漆黒で背の高い人であったという記述からは,北東アフリカのディンカ族が想起される。とはいえ,イエズス会の史料からはポルトガル人の要塞や奴隷市場があったモザンビーク島経由でインドに渡った可能性が高いと考えられる。モザンビーク島ではインド洋沿岸部の東アフリカ諸地域から連れてこられた奴隷が取引される一方で，現在の南スーダン周辺やエチオピア，さらには内陸部からも多くの奴隷が集められて取引された。

　弥助を雇い入れたアレッサンドロ・ヴァリニャーノは，イエズス会のアジア布教の実態を観察し，各地域で適切な改革をおこなうことを目的に，イエズス会総長から派遣された人物であった。ポルトガル領インド，マラッカ，マカオを経て，ヴァリニャーノは弥助を伴って，1579 年，初めて日本の地を踏んだ。

信長との対面から従者へ

　1581年，ヴァリニャーノは信長との謁見のため，弥助を連れて上洛した。珍しい「南蛮人」の宣教師よりも畿内の人々の関心を引いたのは，漆黒の青年弥助の方であった。彼は背が高いだけでなく，屈強な肉体の持ち主であった。フロイスの1581年4月14日付書簡によれば，港町堺では，弥助を一目見ようと欄干に上る見物人の重みで建物が損壊したという。さらに京都では，多くの人が弥助を見ようと詰め掛け，押し合いになって圧死者が出る寸前であった。

　イエズス会の教会，京都の南蛮寺のすぐそばに，信長が定宿にしていた法華宗の本能寺があった。信長は弥助の噂を聞きつけて，自分の面前に連れてくるように命じた。弥助を見た信長は，まずその肌の色が信じられず，墨で黒く塗っているのではないかと疑って，家臣にその身体を洗わせた。その後，その肌の色が天然のものであると悟り，満足して息子たちを呼びつけると，稀有な訪問者を歓待するために盛大な宴を開いた。宴の終わりに信長は弥助に褒美を与えることにし，甥である津田信澄を通じて，重さ30kgに及ぶほどの大量の銅貨を贈った。信長の祐筆で，その伝記を記した太田牛一は『信長記』（『信長公記』，尊経閣本）で「黒坊の年頃は26，7歳，

図1　「相撲遊楽図屏風」（作者不明，1620〜1630年頃。堺市博物館蔵）

図2　火薬入れ（作者不明，ポルトガル，リスボン，国立古美術館蔵）／Museu Nacional de Arte Antiga. Japão, periodo Momoyama / Namban. Fotógrafo : Luis Pavão. Direção-Geral do Património Cultural / Arquivo de Documentação Fotográfica (DGPC/ADF)

十人力で，全身が真っ黒で，容姿に優れていた」と叙述する。

　『信長記』によると，「弥助」と名付けたのは信長自身で，彼に居宅や家財道具一式，さらには刀や扶持（給与）を与えて，自らの家臣に取り立てたという。イエズス会士の記録にその後の弥助についての記録は多くはないが，信長は弥助を大いに気に入って，しばしばそばに召していたという。この時代，武士とそれ以外の身分の垣根は曖昧であり，本当に弥助が「サムライ」となったのかについては議論があるものの，少なくともその身一代においては，彼は間違いなく信長の家臣に取り立てられたと考えられている。

　堺市博物館には江戸時代に入ってから製作されたと考えられる「相撲遊楽図屏風」（図1）と呼ばれる作品がある。屏風では明らかにアフリカ人と思われる風貌の人物が日本人と相撲をとっており，周囲にはそれを見物する人々，自分もまた相撲をとろうと準備する人々，さらには信長と思われ

図3　硯箱（作者不明，ポルトガル，カラムロ博物館蔵）／
Fundação Abel e João de Lacerda, Museu do Caramulo
／Alamy

るような風貌の人物までもが描かれている。弥助と信長が生きた時代から
は半世紀ほど経過して製作されたものであると考えられているが，それで
も人々の記憶に残っていた彼らの姿が描き出されているのではないかと考
えると，畿内の人々にとって，それだけ彼らの存在感が大きいものであっ
たと感じることができる。そのほかにも，漆器や織部焼などにも明らかに
アフリカ人をモチーフにしていると思われるものもあり（図2，3），当時の
日本人の中に存在した，大柄で屈強，肌の色の濃い人々に対する「好印象」
がこれらの作品からも理解されるのである。

その後の弥助

　弥助に関しては，近年まで『信長記』とイエズス会史料しか，その実在
を証明する文献記録はないと思われていた。しかしながら最近では徳川家
康の家臣であった松平家忠の日記に，弥助についての知られざる記録が残
っていることが分かっている。1582年4月から5月にかけて，信長の軍勢
は武田勝頼軍との戦闘のため，甲州に遠征していた。武田家は富士山の後

背地にある山岳地帯を根城にした強固な守りで知られていたが，その頃までには勢力も衰え，電光石火のごとき織田軍の攻撃にあっけなく屈した。織田軍を率いていたのは信長の長男であった信忠で，その後信長は，息子によって制圧された土地の検地を自らおこなったことで知られている。

　勝利を収めて安土城へと凱旋途中の一行は，徳川家康の領内を通過する際，家康から手厚い饗応を受けた。連日祝宴が催され，特別な宿所や街道が整備され，示威行為としての隊列が組まれた。信長に対する敬意と忠義を示すため，それらの費用はすべて家康が負担した。隊列の行軍を目にした家康の家臣であった松平家忠は，自身の日記に，そこで見た弥助のことを記した。それによると，信長の家来の「黒坊」の名は弥助で，非常に背が高く，「墨のように真っ黒な肌色」であり，さらに弥助が信長から俸禄を賜る家臣であったという。運命の日，1582 年 6 月 21 日，すなわち「本能寺の変」はそれから間もなくのことであった。

　信長は，弥助を含めた 30 人ほどの小姓衆とともに，また別の大きな戦の前線へと行軍していた。今度の相手は現在の広島から山口一帯の中国地方を支配していた毛利一族である。屈強な馬は 1 日に 30 〜 40㎞ を走ることができたが，必然的にその日は京都までの行軍となり，一行は本能寺に宿泊することになった。前年，弥助が初めて信長に出会った場所である。翌朝未明，一行は煙の臭いと銃声で目を覚ました。明智光秀が突如信長に謀反を起こし，約 1 万 3000 もの軍勢で攻め込んできたのである。信長の近侍の兵たちも勇敢に戦ったが，寺が火に包まれるに及んで信長はやむなく自害を選んだ。結局，信長と確認できる死骸は見つからなかった。

　弥助は逃げ出さず，織田家の新たな主君である信長の嫡男信忠のもとへと馳せ参じた。信忠はすぐそばの二条御所に立てこもり，守りを固めているところであった。弥助と信忠の残兵は勇猛果敢に戦ったが，奮闘むなしく，隣接する近衛邸の屋根の上から容赦なく一斉射撃を浴びせられた。弥助は明智の家臣らに捕らえられたが，光秀はその姿を目にして「何も知らぬ獣であるから」との理由で解放した。弥助は元の主人であった京都の南蛮寺に住むイエズス会士たちのところへ送られた。弥助が放免されたことについて，イエズス会士たちは大いに喜んだという。これが弥助についての最

後の記録である。

現代の弥助

　日本の文化の中に微かに残っていた勇猛で屈強なアフリカ人についての記憶は，20世紀になってイエズス会史料が日本語に翻訳され始めたことにより「再発見」された。弥助の生涯は新たに注目されることになったのである。1968年に少年少女向けの歴史小説『くろ助』（来栖良夫作）が出版されたことを契機に，徐々にではあるが，弥助の話は知られるようになっていった。

　21世紀に入ると，アメリカなどで始まったヒーローの多様性を求めるムーブメントの中で，弥助はヒーロー的存在として生まれ変わった。フィクションの入り混じった伝記，小説，劇，美術作品，漫画，映画，ネットフリックスのアニメシリーズなどを舞台に主役として描かれるようになった。アフリカ生まれの一風変わった「サムライ」の持つ意味は，受け取り手によって異なるであろう。しかし，彼の生涯にこれほどまでに人々が魅了されるのは，その生き様から刺激を受け，おそらく「奴隷」の境遇から異国で高い地位を得て，主人の最期まで共に戦ったという波乱万丈の人生に希望を感じるからではないだろうか。言うなれば，弥助の姿に世界中の人々が生きる力をもらっているようにも思われる。

　「アフリカ人のサムライ」弥助の驚くべき物語は，史実を越えてフィクションの世界でより一層輝いている。弥助の生涯に関する史料は今後も見つかる可能性があり，多様な文化の中で彼の姿はトランスレーションされ続けるだろう。弥助の話はまだまだ始まったばかりなのだ。彼の物語は書き換えられるかもしれない。

■参考文献
金子拓『織田信長という歴史『信長記』の彼方へ』勉誠出版，2009
藤田みどり『アフリカ「発見」日本におけるアフリカ像の変遷』岩波書店，2005
ロックリー・トーマス（不二淑子訳）『信長と弥助：本能寺を生き延びた黒人侍』太田出版，2017

世界を駆ける銀

仲野 義文

　16世紀から17世紀にかけては「銀の世紀」といわれるように，人類史上かつてないほど銀が注目された時代であった。スペインやポルトガルの大洋進出に端を発した大航海時代は地球規模での世界の一体化を促し，この動きは1571年のマニラ・ガレオン船の定期航路の開設によって完成をみる。ヨーロッパ・アジア・アメリカ・アフリカの各大陸が海路によってつながり，これにより遠隔地間での人・モノ・情報の交流が急速に拡大した。とりわけ国際貿易の進展は決済手段としての銀の爆発的な需要を生み出し，このことが刺激となって世界的な大銀山が次々に開発された。その最大の供給地が日本とスペイン領アメリカであった。この地域では16世紀に製錬技術の移入と改良・発展が進んだことで銀の増産体制が確立し，世界市場に大量かつ継続的に銀を供給することが可能となった。

▌銀山開発ラッシュ

　日本での銀生産は7世紀の対馬国（つしま）での開発を嚆矢とするが，古代から中世を通じて同所が国内唯一の産地にとどまった。ところが，16世紀に入ると世界的な銀ブーム，とりわけ中国を中心とする東アジアでの銀需要の高まりを背景に国内での銀山開発が一気に進むこととなった。その先駆的な役割を担ったのが石見銀山（いわみ）（島根県）であり，朝鮮半島から伝来した灰吹法（はいぶき）（銀製錬法）の存在である。

　石見銀山は1527年，博多商人神屋寿禎（かみやじゅてい）の発見によって開発が始まり，1533年には灰吹法を導入して生産を本格化させた。灰吹法は銀と鉛の親和性を利用したもので，銀鉱石と鉛を溶解して銀鉛合金（貴鉛）を作り，それを灰吹炉（骨灰や草木灰を充填）の上に置いて加熱し，溶融した鉛のみを灰

に浸み込ませ銀と分離するという方法である。『朝鮮王朝実録』に，この頃，朝鮮人が倭人と通行して銀製錬技術を伝えたとする記述がみられることから，わが国への灰吹法の伝来は朝鮮経由であったことが有力視されている。

　灰吹法はすぐに国内に普及し，1542年には生野銀山（兵庫県）や鶴子銀山（新潟県）が開発されている。その後，戦国大名の富国強兵策と相まって佐渡金銀山（新潟県）や院内銀山（秋田県），延沢銀山（山形県）などの有力鉱山が次々と開かれ，17世紀初頭には国内の銀生産はピークに達した。この時期の国内の銀生産量については不明だが，一説には年間200tの銀が海外に輸出されたと推定されている。

　新大陸ではスペインの進出後，銀山の開発が急速に進んだ。ヌエバエスパーニャ副王領メキシコではドイツ人鉱山技術者による組織的な開発や砕鉱機などの技術移入がなされ，1520年代以降タスコ，スルテペック，タウアンテペックなどの銀山が開かれた。また，1540年代にはサカテカスやグアナファトらの大銀山も発見され生産量は急増し，さらに1560年代に入ると水銀アマルガム法と呼ばれる最新の製錬技術が確立したことで産銀量は爆発的に増大した。

　水銀アマルガム法は水銀と金銀との親和性を利用したもので，すでに14世紀のヨーロッパでは金の製錬法として実用化されていた。新大陸では1556年，スペイン人のバルトロメ・デ・メディナ（1500〜1560）がパチュカ鉱山で事業化に成功したことで一躍普及し，わずか5年間でメキシコの主要鉱山ではほとんど実施されるようになった。この方法はパティオ法と呼ばれ，粉砕した銀鉱石の粉末に水銀，塩を混合し，馬や人力によって攪拌して1か月程の期間をかけてアマルガム（銀と水銀の合金）を生成した。その後，アマルガムを加熱して水銀を気化させ銀と分離した。製錬に用いられる水銀は，スペインのアルマデン鉱山から「水銀船」によって運ばれ，その対価として銀が支払われた。

　ペルー副王領では1545年に当時としては世界最大の銀山ポトシが発見された。開発初期には在来技術グアイラ法によって製錬が行われていたが，良鉱の枯渇による生産量の減少を背景に1572年，水銀アマルガム法の導入を図った。ポトシの水銀アマルガム法はカホネス法といい，銀鉱石の粉

末と水銀，塩の混合物を「カホン」と呼ばれる反応槽に入れて加熱することでアマルガムの反応を促進させた点が特徴である。これにより従来の4分の1程度に時間短縮が可能となり生産性が一気に向上した。製錬用の水銀についても，1563年に発見されたワンカベリカ水銀鉱山から安定的に供給されたこともポトシでの大量生産を可能とし，16世紀末にはピークを迎えた。

▌世界を駆ける銀

　銀の流通をみると，日本銀の場合，石見での銀生産が本格化した1530年代以降朝鮮への輸出が開始され，1540年代にはすでに朝鮮の市場に満ち溢れたとされる。ただし，朝鮮に流入した銀は国内にはとどまらず「唐物」(中国製品)との交換を通じて多くが中国に流入した。この頃，「荒唐船」と呼ばれる中国船が朝鮮の海岸部に出現して海賊行為をしたが，その多くが日本に銀を求めて往く途中であった。

　このような日本からの銀流入にともなって中国商人の東シナ海域での海上活動が活発化したが，その反面海禁政策をとる明政府にあってこれらはすべて非合法と見なされた。さらに倭人と一体となって武装集団を組織し，船舶を略奪したり，浙江・福建などの沿岸諸都市を襲ったりして中国官憲と激しく対立した(後期倭寇)。彼らは長江河口のリャンポー(双嶼島)や九州の五島列島，平戸を拠点として東シナ海域で密貿易を行った。そこにヨーロッパから新規参入したポルトガル人が加わり1543年に日本に初来航することとなった。これ以後，日本銀の貿易はポルトガルによる中継貿易を軸に大きく展開していった。

　ポルトガルによる貿易はユーロ・アジア貿易とアジア域内貿易とに大別される。いわゆる南蛮貿易は，実際には中国・日本間貿易で，後者の形態にあたり，その主体はマカオに拠点を置くポルトガルの現地住民であった。彼らは中国(広東)において日本向けの商品を安価に仕入れ，価格の高い日本で販売しその差額で莫大な利益を獲得した。特に中国産生糸の人気は高く，その購入対価として日本銀があてられた。南蛮貿易によってポルトガル人が中国に持ち込んだ日本銀は1550年からの50年間で740tから920t

とされ，中国人や倭寇分を含めると実に1190tから1370t以上にもなったと推定される。17世紀になると，新興国オランダが銀貿易に参入した。オランダは1609年，平戸（長崎県）に東インド会社の商館を開設し，台湾を拠点として中国産生糸を主力商品に貿易を行った。日本銀輸出は平戸商館時代に最盛期を迎え1636年から5年間の年平均では約55tに及び，この約90%が台湾に流入し，その後中国・東南アジア・インドへと流通した。

　新大陸銀は，各地に置かれた造幣所においてスペイン通貨であるレアル銀貨（このうち8レアル銀貨を「ペソ」と呼ぶ）に鋳造され，それが本国スペインのセビリアに向けて輸送された。セビリアは1503年，国家機関である通商院が置かれ，新大陸との貿易を管理する独占的な港としての役割を担った。大陸間の輸送は1543年から「フロータス」・「ガレイオス」と呼ばれる護送船団が担い，16世紀末には年間100艘を超えた。船団はおもに新大陸の貴金属を運ぶことを目的としていることから「財宝船団」とも称された。セビリア向けの銀は王室向けと民間向けとに大別され，このうち王室分は鉱山から収奪される「5分の1税」を基本とした。民間分は新大陸に供給された商品の代価や個人資産の送金などで，1556年から1600年の間では両者を合わせて約3億660万ペソにも達している。このような新大陸から大量かつ持続的に供給される銀は，結果としてヨーロッパでの貨幣価値の低落をもたらし，各国で急激な物価上昇を招き経済的に大きな影響を及ぼすこととなった（価格革命）。

　新大陸銀の重要な流通ルートにマニラ・ガレオン船の定期航路がある。この航路は1571年，スペインのフィリピン統治のための政庁がマニラに設置されたことで開設されたもので，統治に必要な人員（官僚・兵員）や経費（給料・教会維持費・軍事費），個人資産などをフィリピンに輸送するのが目的であった。これにより新大陸とアジアとが海路でつながり，大量の新大陸銀がフィリピンを中継地としてアジアに流入することとなった。1581年から1650年のピーク時にはマニラに流入した銀は実に889tと推計されている。

コロンブスの交換

　日本や新大陸，さらにはヨーロッパやマニラを経由して流通した銀は，その多くが生糸・絹織物・陶磁器などの中国産品と引き換えに中国に流入した。16世紀半ばから約100年間でヨーロッパから中国に流入した銀は2330t，マニラを経由した銀は1606年からの5年間では年平均で40tと推計されており，日本からの銀を含めると大量の銀が巨大な中国市場に飲み込まれていった。その一方で，銀の対価として大量に流入する中国産生糸により各地では絹織物業が興隆・発展した。日本では京都の西陣や博多などで絹織物業が発展したが，メキシコでも中国産生糸の流入によって1万4000人程度の雇用を創出したとされる。

　また，銀を軸とした国際貿易の進展によって，「コロンブスの交換」と呼ばれる大陸間相互における物質の交換が行われた。南米原産のトウモロコシ・トマト・ジャガイモ・サツマイモなどはヨーロッパやアジアに広まり移入先の食文化にも影響を与えた。さらには梅毒・ペストに代表される感染症，宗教，鉄砲や大砲などの武器，医学や天文学などの学術など様々な分野での交流が行われ，今日のグローバル世界の誕生を演出したのである。

■参考文献
青木康征『南米ポトシ銀山―スペイン帝国を支えた"打出の小槌"』中公新書, 2000
岡美穂子『商人と宣教師 南蛮貿易の世界』東京大学出版会, 2010
岸本美緒編『歴史の転換期6　1571年　銀の大流通と国家統合』山川出版社, 2019
羽田正編・小島毅監修『東アジア海域に漕ぎ出す1　海から見た歴史』東京大学出版会, 2014
フリン, デニス(秋田茂・西村雄志編)『山川レクチャーズ7　グローバル化と銀』山川出版社, 2010

秀吉の朝鮮侵略と通信使

米谷 均

　「通信使」とは，信書を通わす使節を意味し，返書を送る使節の場合は「報聘使」「回礼使」と呼ぶ（以後，「通信使」に統合）。中世から近世にかけて，朝鮮国王と日本の武家政権の長との間で，「国書」「書契」と称される漢文書簡が取り交わされ，それを届ける使節が，朝鮮から日本へ派遣された。室町時代においては，1366 年から 1479 年までの間，およそ 15 回の使節の来日が実現した。江戸時代には，1607 年から 1811 年まで 12 回の使行が実施されている。ところで両時代の狭間にある豊臣政権期においても，1590 年と 1596 年に通信使が 2 度来日し，同政権が起こした朝鮮侵略（1592 〜 1598）と深く関わり合っている。本稿では豊臣秀吉（1537 〜 1598）の朝鮮侵略と，この二つの通信使について述べてゆく。

1590 年の通信使と朝鮮侵略

　古今東西，外国に戦争を仕掛けようとする場合，戦局を優位に進めるためには，相手の不意を突いて奇襲攻撃することが常道である。ところが戦争遂行以前から，わざわざ派兵を予告した奇特な人物がいた。豊臣秀吉である。彼は長年の夢である「唐入り」すなわち征明戦争の計画を，国の内外に喧伝していた。通説では，国内の家臣に対する最も早い「唐入り」表明は 1585 年であると言う。また外国人に対しては，1586 年に大坂城で引見したイエズス会士らに，将来の征明戦争を予告している。そして 1590 年には，朝鮮から来日した通信使や，ゴアからやって来たインド副王使節に対し，征明戦争の抱負を語る国書を交付し，1591 年にはマニラにわざわざ使節を送って征明戦争の近日決行を予告した。

　秀吉の「唐入り」計画は，1592 年の朝鮮侵略によって具現化するが，そ

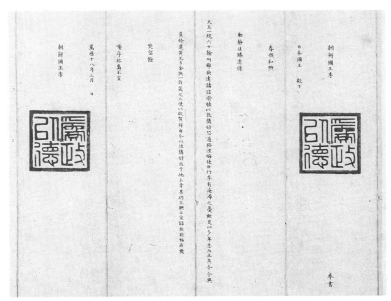

図1　1590年次通信使が携行した宣祖国書を対馬が改竄したもの（宮内庁書陵部蔵）

の戦争勃発以前から朝鮮や琉球など諸外国に漏れ伝わっていた。ところが朝鮮政府は，1590年に得た日本情報を有効に活用できなかった。というのも，朝鮮が通信使を派遣し，京都まで達して日本情報を直に収集したのは，1443年次以来，実に約150年ぶりであったためである。特に16世紀においては，朝鮮から日本への使節の往来が全く杜絶してしまい，正しい日本情報は，日朝通交を独占していた対馬宗氏によって遮断されていた。そして足利義昭の京都放逐や，織田信長の台頭と滅亡などの情報が更新されないまま，征明戦争の軍事協力（「征明嚮導」）を強要する秀吉政権と，朝鮮は唐突に直面して困惑したのである。

　そもそも1590年の通信使の日本招聘は，「朝鮮国王を京に召喚せよ」という秀吉の無理難題を解消するため，対馬宗氏が危うい工作を重ねて，半ば騙すような形で実現させたものであった。通信使は京の聚楽第で秀吉に謁見するが，そこで見せつけられた秀吉の高圧的な態度と，秀吉返書の不穏な内容に驚愕し，帰国後，正使と副使が各々異なる帰朝報告を国王宣祖

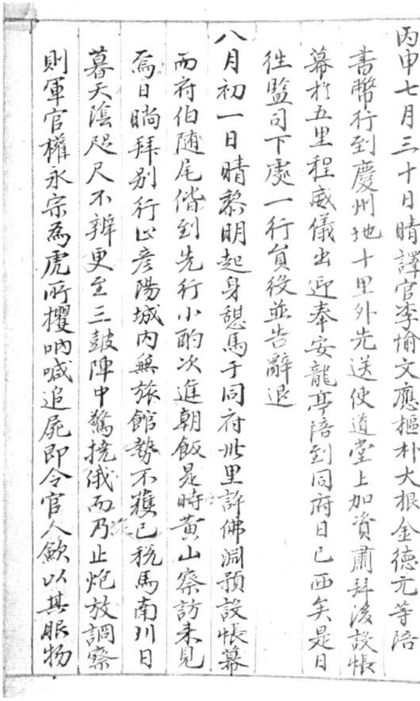

附東槎録

丙申七月三十日晴譯官李愉文應榲朴大根金德允等陪

書幣行到慶州地十里外先送使道堂上加資蕭科凌談帳

幕於五里程感儀出迎奉安龍亭語到同府日己酉矣是日

仕監司下處一行賀後並告辭迄

八月初一日晴黎明起身䭾馬于同府卅里許佛洞預設帳幕

而府伯隨尾偕到先行小酌次進朝飯是時黄山察訪未見

為日晡拜別行已彦陽城內縣旅館夢不獲己秫馬南川日

暮天漸盡尺不辨更至三皷陣中爲挽我成石乃止炮放調察

則軍官權永宗爲虎兩攖吶喊追屍即令官人斂以其服物

図2　1596年次通信使の紀行記録　朴弘長『東槎録』(佐賀県立名護屋城博物館蔵)

(1552〜1608) に行った (1591 年 3 月)。正使の黄允吉 (ファンユンギル) は，必ず兵禍が発生すると，危機感を露わにしたのに対し，副使の金誠一 (キムソンイル) は「大げさだ」と言って侵略の予兆を否定した。また通信使の帰国と同行して朝鮮の漢城 (ハンソン) に至った景轍玄蘇 (けいてつげんそ) (対馬の外交僧) は，「仮途入明 (かとにゅうみん)」すなわち日本が明へ朝貢するため朝鮮に道を貸して欲しい，さもなくば秀吉は兵端を起こすであろうと警告するが，金誠一らは取り合わなかった。他方では秀吉の「征明」予告につき，明へ通達すべきか否かという問題が浮上した。朝鮮としては，日本に通信使を派遣してこの情報を得た，という形は避けたかった。「朝鮮は日本と内通している」という疑念を，明に与えたくなかったためである。侃々諤々 (かんかんがくがく) の末，同時期に対馬から送還された朝鮮人漂流民から得た情報である，という体裁をとり，明へ定期的に派遣する聖節使 (せいせつし) を通じて，この日本警戒情報を明へ告げることを決定した (1591 年 5 月)。

　しかし日本警戒情報の通告をめぐり，朝鮮は琉球に先を越されてしまっ

図3　冊封使が携行した万暦帝誥命（大阪歴史博物館蔵）

　た。琉球はすでに1589年に使僧を秀吉のもとへ遣わしているが，琉球王
府が1591年までに得た「唐入り」計画情報を，同年4月に「近報倭警きんぽうわけい」
と称して明へ通報し，その情報は福建省ふっけんと浙江省せっこう経由で北京に達した。そ
の内容は，「秀吉はすでに朝鮮へ出兵して勝利を収め，多数の投降者を得て
いる」という恐るべき誤認情報であった。明は朝鮮に対し，事の真偽を訊
問するが，この情報を得た国王宣祖は大きな衝撃を受け，弁明のための陳ちん
奏そうし使を北京に急遽派遣することとなった。また先行する聖節使も，北京入
城後，朝鮮の「征明嚮導」情報が広く蔓延していることを知り，官界の要
所に弁明して，いったんは嫌疑を解消した。ところがその後も，日本の鹿
児島在住の明人によって，「朝鮮は秀吉に征明を催促している」という事実
無根の「近報倭警」が続々通報され，明の猜疑心さいぎをかき立てた。1592年4月，
秀吉の朝鮮侵略（「文禄の役」「壬辰倭乱イムジンウェラン」）が勃発し，明も朝鮮に援軍を出す
ことになるが（「万暦東征」），初戦敗退後，その敗因は「日朝陰結」すなわ
ち日本と朝鮮が陰に内通しているためであると，明将の間で不信感と猜疑
心がくすぶり続け，明と朝鮮との関係を悪化させることとなった。

1596 年の通信使と日明講和の破綻

　1593 年，平壌（ピョンヤン）の戦いで日本軍が明軍に敗れ，ついで碧蹄館（ビョクチェグァン）の戦いで明軍が日本軍に敗れて戦線が膠着状態になると，日明両軍は戦意を喪失し，小西行長と沈惟敬（しんいけい）を中心に，朝鮮の意向を無視した「名誉ある戦争終結」を模索する。1594 年までに亘る日明講和交渉の末，明の万暦帝（1563～1620）が豊臣秀吉を日本国王に冊封することをもって，戦争終結が図られた。そして 1595 年，北京から日本へ冊封使が派遣されることとなるが，朝鮮からも通信使を同行させるべき旨が，明側から通告された。1596 年，朝鮮は渋々これを受け入れ，通信使の正使に黄慎（ファンジン），副使に朴弘長（バクホンチャン）を任命する。しかしこの時点で冊封使は釜山（ブサン）から発った後であったので，通信使は追って日本へ赴き，冊封使の滞在先である堺で合流した。

　ところが秀吉は朝鮮王子の来朝を期待していたこともあり，難詰を重ねて通信使の大坂入りを許さず，1596 年 9 月，冊封使に対してのみ大坂城にて行礼儀式が執り行われた。堺に残留した通信使は，様々な伝手を頼って，大坂行礼の情報を得ようと試みた。行礼の 4 日後，不意に講和は破綻となり，冊封使は追われるようにして堺を発つ。通信使もこれに追随して帰路西行するが，その途上，秀吉から「謝恩表」すなわち冊封を感謝する上表文が，冊封使のもとに追送された。果たして秀吉は，明皇帝の威光に伏して冊封を受け入れ，朝鮮への再侵略を断念したのか，それとも講和の破綻は紛れもなく，再侵略は避けられないのか……通信使としては，その正否を判断する情報を渇望した。そして天候の都合により，冊封使とともに対馬で足留めされていた時，通信使は重要文書の写しを冊封使から密かに入手したようである。それは冊封使の正使と副使が明の兵部にあてた親展書類と，秀吉の「謝恩表」の写しであった。そして対馬海峡を渡る際，通信使のみが渡海に成功し，冊封使が対馬に吹き戻されたことを奇貨として，釜山から漢城へ上記三書類が送付された。その内容は，秀吉が冊封使を上位に置いて受封され，大名たちとともに北京に向かって宮城遥拝したかのように，事実を曲げて叙述されていた。つまり，秀吉は明の国際秩序の中に包摂され，かつこれを感謝し，朝鮮への再侵略は断念した，と判断できるものである。

朝鮮も，また明も，こうした見込みを受け入れて，しばし焦眉を開いて安
堵した。しかしこれが恐ろしい見当違いであったことは，1597年から始ま
る秀吉の再侵略（「慶長の役」「丁酉再乱」）の勃発によって，判明すること
となるのである。
　「昔，柳川調信（宗氏家臣）は通信使派遣を要請したが，ほどなく壬辰の
兵禍が発生した。小西行長は冊封使派遣を明に乞い願ったが，かえって丁
酉の兵禍を招いた」。日本軍の撤退（1598）から8年後，朝鮮では上記のよ
うに回顧した。豊臣政権期における通信使の派遣は，結局のところ，兵端
を防ぐことができなかった悲劇の使節となったとも言える。

■参考文献
北島万次『豊臣秀吉の朝鮮侵略』吉川弘文館，1995
米谷均「朝鮮侵略前夜の日本情報」『日韓歴史共同研究報告書』第2分科篇，2005
米谷均「敵を知るなら味方から―朝鮮通信使はいかにして明使節から日本情報を「入手」したのか」
上田信・中島楽章編『アジアの海を渡る人々――六・一七世紀の渡海者』春風社，2021

第**2**章

17世紀の世界

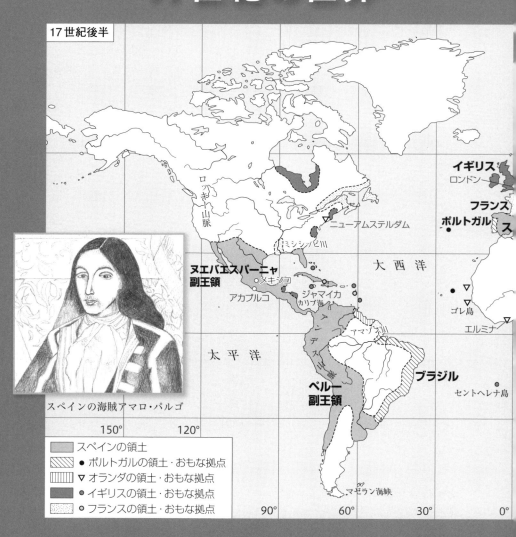

17世紀後半

イギリス
ロンドン

フランス
ポルトガル
ス

ニューアムステルダム

ロッキー山脈

ミシシッピ川

ヌエバエスパーニャ
副王領
メキシコ
アカプルコ
ジャマイカ
カリブ海

大西洋

ゴレ島
エルミナ

アンデス山脈

アマゾン川

ペルー
副王領

ブラジル

セントヘレナ島

太平洋

マゼラン海峡

スペインの海賊アマロ・パルゴ

150° 120° 90° 60° 30° 0°

スペインの領土
● ポルトガルの領土・おもな拠点
▽ オランダの領土・おもな拠点
● イギリスの領土・おもな拠点
○ フランスの領土・おもな拠点

徳川光圀

オランダ

スウェー
デン

ロシア帝国

シベリア

モスクワ

60°

神聖
ローマ帝国

ジュンガル

1644年 明滅亡

北京

朝鮮

日本

ペイン

イスタンブル

サファ
ヴィー朝

チベット

清

長崎

30°

オスマン帝国

地中海

デリー

マカオ

琉球

太平洋

ニジェール川

ナイル川

アラビア
半島

ムガル
帝国

ボンベイ

ゴア

マドラス

大越

ゼーランディア城

フィリピン

ニジェール川

アユタヤ朝
（シャム）

セイロン

マラッカ

0°

インド洋

バタヴィア

アンボイナ

モザンビーク

マダガスカル島

ケープタウン

30°

30°

60°

90°

120°

150°

アジアの海と進むグローバル化

岡 美穂子

　16世紀はグローバルな規模でヒトやモノが移動し始め，急速に世界の一体化が進んだ時代であった。17世紀に入ると，ユーラシア諸地域では一定の中央集権化が進み，一つの王朝のもとに周辺の国が「国家の一部」として包摂されていく様子が見られた。これらの「国家」では，他の地域との通商や外交もまた公的管理下に置かれ，「一つの国」としての意識形成や境界の確定が進んでいった。

日本——平和な時代構築への動き

　日本の場合，江戸幕府は初めから現在の日本国の領土に相当する地域に留まろうとしたわけではなかった。教科書に記されることはほとんどないが，江戸幕府の命を受けたと思われる小規模のグループがフィリピン諸島や台湾の征服可能性を調査するため現地に渡航することがあったし，徳川家康なども海外の情報収集に熱心であったことが知られる。

　また，江戸幕府のキリスト教禁令をめぐっては，研究者によって各々強調点は異なるものの，幕府に敵対する可能性のある勢力に海外（具体的にはスペインとポルトガル）から資金や武器が提供され，多大な犠牲を払って叶えた天下統一が瓦解することが危ぶまれていたのは確かである。豊臣秀吉（1537～1598）の伴天連追放令（1587）の関連文書では，キリシタンが一向宗と比較された上で「一向宗よりもなお悪い」と述べられており，信仰によって結束した集団が武器を手に政権に立ち向かうことは，為政者にとっては大いに警戒すべき問題であった。実際に，大坂の豊臣秀頼（1593～1615），仙台藩や薩摩藩などは已然大勢力であり，もしキリシタンを縁に外国からの援助が与えられれば，再び戦乱の世に戻ることは容易に想像された。江戸幕府が1612年に強硬なキリシタン禁教策を出したのは当時の世界的状況を考えればやむを得ないことであったし，実際にその警戒は「島原・天草一揆」（1637～1638）という形で具現化した。キリスト教宣教師の追放は，それまで彼らが深く関わってきた南蛮貿易を日本人による管理へと移行させる目的もあった。とりわけイエズス会は南蛮貿易の商品の値付け，日本人とポルトガル人たちの商談などに深く関わり，マカオからポルトガル船で持ち込

まれる商品は，イエズス会本部を含む長崎港の
交易複合施設一帯にあった倉庫に収められ，そ
こで取引もおこなわれた。宣教師追放後にイエ
ズス会本部が取り壊された後は，そこに長崎奉
行所の西役所が置かれた。

　それまで長崎市中に自由に居住していたポル
トガル人を隔離するため，1636年に出島が作
られたが，3年後にポルトガル船来航禁止が言
い渡された後，オランダ商館が平戸から出島に

**図1　鄭成功が生まれた平戸川
内浦の鄭成功記念碑**（著者撮影）

強制的に移された。イギリス商館もまた1613年以降平戸にあったが，1623年の
アンボイナ事件（後述）をきっかけに，1624年には閉鎖されていた。17世紀初
頭には，長崎だけではなく，平戸や薩摩の港などに到来する中国船も増えていたが，
徐々にその入港は長崎に限定されていく。

　平戸はもともと倭寇の拠点で，16世紀後半にはポルトガル船が多く入り，続い
てオランダ商館，イギリス商館も置かれたが，17世紀初頭の平戸での交易を取り
仕切っていたのは，鄭芝龍（1604〜1661）の仲間である李旦（？〜1625）等の
華人海商であった。のちに台湾に政権を立てる鄭成功（1624〜1662）が芝龍の
息子としてそこで誕生したのも，イギリスやオランダの商館がそこに設けられた
のも，17世紀初頭の平戸が東アジアから東南アジアにかけて華人海商のネットワ
ークの一大拠点であったからである。

東アジア——明清交替

　16世紀後半にはすでに周辺諸民族が明朝領土内への侵入を繰り返し，とくに冊
封関係にある隣国朝鮮の李王朝の北方境界は，常に女真族に脅かされていた。
1592年の秀吉による朝鮮侵攻では，加藤清正（1562〜1611）が朝鮮半島北方の
女真族の領界まで侵入し，その軍の圧倒的強さを経験している。この頃，女真族
はヌルハチ（1559〜1626）の下で，一部の地域の部族が統一され，徐々に巨大
な勢力へと変化していた。凡そすべての女真族を統一したヌルハチは，国名を「後
金」として明に対して挙兵した（1618）。破竹の勢いで南下する後金軍であったが，
明朝終焉の直接的な出来事は，後金軍ではなく明朝軍官の謀反によって引き起こ
された。いわゆる崇禎帝（1611〜1644）に対する臣下の李自成の反乱（1644）
である。とはいえ李自成の天下は40日しか続かず，後金軍と明の別の軍官呉三桂
（1612〜1678）の連合軍により，北京から駆逐された。

　1644年，幼い順治帝（フリン，1638～1661）を擁する大清国が中華王朝として誕生した。一方で明の遺臣たちは地方に拡散して明朝の復活を試みた。その代表格が鄭芝龍と成功父子であった。しかしながら芝龍は1646年に清軍に投降し，鄭成功は厦門島（アモイ），ついで温州に移り，その地を拠点に明朝復活を目指した。この時期，一時的に皇帝を称した歴代明皇帝の縁戚たちの勢力を総称して「南明」と呼ぶが，実態として存在したとは言えない王朝である。むしろ1640年代から1660年まで，中国南部を移動しながら度々抗清軍を組織し，最終的には台湾にいたオランダ人を駆逐して，「鄭氏政権」を樹立した鄭成功が，抗清運動の主役であった。江戸幕府にも抗清の協力を求めた「鄭氏政権」の海洋ネットワークは東南アジアや日本まで広がり，17世紀中頃のシナ海は専ら彼らのものであった。

グローバルな動き――ヒト・モノの移動

　この時代，確実に世界を繋いだ勢力と言えるのは，ヨーロッパ各国のインド会社であった。よく知られるのはイギリス東インド会社（1600年設立），オランダ東インド会社（1602年設立）であるが，オランダには西インド会社（1621年設立）もあった。東インド会社がアジアでの交易を手がけるのに対し，西インド会社の船は主に，アフリカ西海岸からカリブ海の島々や南アメリカのプランテーションへ奴隷を運んだ。東インド会社は，イギリスとオランダの他に，フランス，デンマーク，スウェーデンなどがあったが，やはりこれらの国でも西インド会社を作って，奴隷貿易に従事することになった。これらの会社は，ヨーロッパに古くからあった交易組合の延長ではあったが，出資額に応じた配当が組織化されたという点で，「株式会社」の原型であると言われる。

図2　アンボイナ事件でイギリス人を拷問にかけるオランダ人たち

　それぞれの市場をめぐる戦いは熾烈で，先に新大陸を占拠していたスペインやポルトガルの商業・軍事勢力との戦いは当然ながら，新しい東インド会社同士の戦いも激しかった。1623年に起きたアンボイナ事件もまた，イギリス，オランダの各東インド会社による，モルッカ諸島の香辛料をめぐる戦いであった。この事件でアンボイナのイギリス商館にいた人員の大半が虐殺されたが，うち約半数は日本人傭兵であった。この時期，天下統一とそれにともなう国替

えや改易，大坂の陣（1614～1615）での豊臣勢力の滅亡などにより，日本では大量の浪人が発生していた。腕に覚えのある浪人の中には，高い賃金が保証される海外での傭兵を志願して日本を後にする者も多くいた。アジアに進出してくるヨーロッパの勢力は，圧倒的に兵力が不足していたため，戦闘能力の高い日本人傭兵は各地で大いに需要があった。ポルトガル人が支配するインドのゴアでは一人のポルトガル人につき6人の日本人傭兵や従者がいた，と記す文献もあり，1620年頃スペイン人が占拠するマニラには2000人の日本人傭兵と奴隷がいたことが知られている。

　17世紀に世界規模で本格的になった動きとしては，アフリカと新大陸を結ぶ奴隷貿易が挙げられる。最初にこの奴隷貿易を始めたのはポルトガル人であったが，サトウキビプランテーション，鉱山開発が盛んになる中，最初にヨーロッパ人による使役の対象となったインディオが疫病で大量に死亡したり，アマゾンの奥深くに逃げ込んだことで，新たな労働力であるアフリカ人奴隷の需要が飛躍的に高まった。これらのアフリカ人奴隷は中南米スペイン領のグアナファト，サカテカス，ポトシなどの銀山での労働に使役されたが，17世紀末にはブラジルのミナス・ジェライスで大規模な金鉱脈が発見され，さらに多くの奴隷が動員された。

　アフリカ人奴隷ほどの数ではないが，太平洋を渡るガレオン貿易でも，アジア人奴隷が新大陸へと売られた。とりわけヌエバエスパーニャ副王領と呼ばれた現メキシコには，日本人を含む多くのアジア人が居住した。1613年，ペルー副王領の町リマでおこなわれた住民調査では，約20人の日本人が居住していたことが判明する。大半が男性であったが，日本人女性もいた。

■　■　■

　17世紀前半はまだ前時代の延長線にあり，各地で大きな紛争もあった。と同時に，大規模な経済的発展の基盤に，国際商業が不可欠な要素となり始めた。経済的利潤を生みだそうとすれば，製品の原料と人的資源，さらには消費地を可能な限り多く確保することが求められた。その結果としてこの世紀の後半は，近代国家の原型になるような地理範囲がおぼろげながら確定していくと同時に，その後の近代世界の構造を形成するような支配者と被支配者の層の分離が進んだ。

■参考文献
岡美穂子「統一政権とキリシタン」『岩波講座日本歴史10』岩波書店，2014
デ・ソウザ，ルシオ／岡美穂子『増補新版　大航海時代の日本人奴隷』中公選書，2021
デ・ソウザ，ルシオ／岡美穂子「奴隷たちの世界史」『岩波講座世界歴史11　構造化される世界　14～19世紀』岩波書店，2022

三浦按針（ウィリアム・アダムズ）

桜井 祥行

世界史の中の按針

　三浦按針<ruby>按針<rt>あんじん</rt></ruby>（1564〜1620）ゆかりの地である伊東市，横須賀市，臼杵市<ruby>臼杵<rt>うすき</rt></ruby>市，平戸市の4市による「第1回 ANJIN サミット」が2013（平成25）年5月25日に平戸市の平戸文化センターで開催された。4市が連携して按針の功績を顕彰しようというもので，地域の掘り起こしの動きが点から線となった一例である。

　三浦按針，またの名をウィリアム・アダムズ。三浦は彼の所領地の三浦郡から，按針は彼の職業である水先案内人の意味で名づけられた。江戸幕府初期に実在したとされる彼の痕跡は，国内に幾つか散見される。按針はイギリスのジリンガム市出身で，そこは11世紀初めにエドマンド2世とデンマーク王クヌート（カヌート）が戦った地にあたる。彼は造船よりも航海に興味を持ち，海軍に入り1588年にアルマダ（スペイン無敵艦隊）の海戦に参戦している。この時ドレークの指揮下にあった貨物補給船の船長であったが，戦闘に加わることはなかった。その後貿易会社に勤務し，オランダから東洋への遠征隊が出る情報をつかむや，航海士として単身オランダに行き東インド会社に入社する。1598（慶長3）年オランダ船東洋遠征船隊に主任航海士として加わり，リーフデ号に配置される。リーフデとはオランダ語で「愛」を意味し，日本に最初に渡航したオランダ船である。

　リーフデ号は元はエラスムス号という船名であった。ルネサンス期に『愚神礼賛』を書いたオランダの人文主義者として知られるエラスムス（1466〜1536）の名を冠したものであり，リーフデ号の船尾にはエラスムス木像が飾られていた（この立像が回り回って栃木県佐野市の龍江院に所蔵され，現在

は東京国立博物館にある。江戸時代には
この木像は得体の知れない老婆のように
見られていた）。

5隻の船団からなる東洋遠征船隊は，
難破や病気，インディオの襲撃等で
次々と船を失い，極東に到達したのは
リーフデ号のみという惨状であった。
そして，按針たちは1600年4月（関
ヶ原の戦いの半年前）に大分の臼杵に漂
着したことから，日本との接触が始ま
る。按針は当時五大老の首座であった
徳川家康に引見されると，その識見を
買われ家康の外交顧問に就くのであ
る。

図1 三浦按針屋敷跡碑（東京日本橋，
著者近影）

　按針の屋敷跡は現在の東京都中央区日本橋室町1丁目16番地で，按針が
住んだ頃は小田原町といっていたが，その後昭和初期頃まで「按針町」と
呼ばれていた。現在も「按針通り」の名が残り，ビルの合間に「史蹟三浦
按針屋敷跡」の碑（1951年建立）が建立されている。按針と共にリーフデ
号で漂着した仲間のヤン・ヨーステンも江戸に招聘され，彼の名は「八重洲」
の地名の由来となっている。

伊東における按針

（1）洋式造船

　その後，江戸湾に係留されていたリーフデ号が沈没したため，かつて按
針が船大工をしていた経験を買われて，西洋式の帆船を建造することを家
康から要請される。浦賀水軍の向井将監と船大工たちは，建造地として伊
豆東海岸の伊東の地を選ぶ。

　按針が伊東と関わるのは，日本で初めて洋式船建造を行ったことによる。
幕末期ロシアのプチャーチンが，戸田（現沼津市）の地でディアナ号破損・
沈没後に洋式造船を行う250年ほど前のことである。この証拠となるのが，

「トマス・ランドウル編第 16 世紀及ビ第 17 世紀ニ於ケル日本帝国記録ウイリヤム・アダムス書簡 1611 年 10 月 22 日附」や三浦浄心の『慶長見聞集 巻の 10』で，後者には次のような記述がある。

　　　先年作らしめ給ふ浅草川の唐舟は，伊豆の国伊東という浜辺の在所に川あり，是こそ唐舟作るへき地形なりとて，其浜の砂の上に柱を志きたいとして其上に舟の敷を置，半作の比より砂を掘上，敷臺の柱を少つゝさけ，掘の中に舟をおき，此舟海中へうかへる時に至て，河尻をせきとめ，其河水を舟のあるへなかし入，水のちからをもて海中へおし出す，

　　　(先年作った浅草川の唐舟は，伊豆の伊東という浜辺に流れる川があり，この場所こそ唐舟を作るに最適の地形であるとして，その浜の砂の上に柱を敷き，柱を敷台としてその上に船の敷を置き，途中から砂を掘り上げて，敷台の柱を少しずつ下げて堀の中に舟を置き，この船を海中へ浮かべる時に河尻をせき止めて，その河水を舟のある堀へ流しいれ，水の力をもって海中へ押し出す)

　ここは現在の松川（伊東大川）下流域をさしている。今日では毎年夏にタライ乗り競走が行われている川である。伊豆の地が造船に適しているとしばしば聞くが，『日本書紀』（巻十，応神天皇）に，「冬十月科伊豆国令造船長十丈。……故名其船曰枯野」とあり，天城の軽野神社での伊豆造船について記載されている。また古くから伊豆には舟匠がいたという説があり，先述したプチャーチン来航の折に戸田を中心に船大工が集められたといったことから人材面の豊富さを指摘する面がある。他にも，当地の松川中流域から楠木が多く，船材に適していた土地柄という説もある。

　しかし一番大きな理由は，江戸城の城石として伊豆石が選ばれ，伊豆東海岸を中心に按針等が検分した結果，石を運ぶ船を建造した実績から適当と認められたからではないか。事実伊豆石を運ぶ船を修復する船大工も伊東には多くいたであろう。

　按針の造船所は松川下流域であろうというのが定説化しており，1604（慶長 9）年頃に，80t ほどの洋式帆船が建造され，1607 年には 120t の船舶（サン・ブエナ・ベントゥーラ号）を完成させている。按針に関する他の記述と

して,『セーリス日本渡航記』にはセーリスが 1611 年に按針から手紙を受け取った記述があり, 1613 年に来日以降半年の間にしばしば按針に会っている。セーリスはイギリス生まれで, 朱印状を得て平戸にイギリス商館を建てた人物である。按針は徳川家康の外交顧問となったため, 自身が船に乗り込んだオランダと母国イギリスについての交渉にあたった。おそらく相当に日本語も流暢に話せたのではなかろうか。そのためポルトガル人たちからかなり攻撃を受けたようである。

　セーリスと按針の斡旋により, イギリス国王ジェームズ 1 世の国書を家康に手渡すことに成功し日英貿易の先鞭を着けたものの, その後日英の関係はうまくいかなかった。

(2) 按針の碑

　伊東における按針顕彰碑は, 彼が日本に最初に定住したイギリス人ウィリアム・アダムズであることを称えて建立された。碑文には英文とその下に邦訳文が次のように刻まれている。

　　ウイリアム・アダムスこと　日本名三浦按針（英国ケント州・ジリンガム市生まれ）は　オランダの東洋遠征隊の航海長として苦難の航海の末デ・リーフデ号で 1600 年 4 月 19 日　九州豊後に漂着した最初の英国人です　大阪城で徳川家康の取り調べを受けた後　1603 年将軍となった家康から日本橋に一軒の家を贈られ　外交顧問にとりたてられました　1604 年か 1605 年の頃　浦賀水軍の総帥　向井将監とその部下と共に　伊東市松川河口でわが国初の 80 トンと 120 トンの洋式帆船二隻を　伊東の優れた船大工の助けを得て建造しました　（この史実は慶長見聞録に記されています）

　顕彰碑は 1948（昭和 23）年 7 月 28 日に唐人川畔に

図2　三浦按針顕彰碑（伊東市, 著者近影）

建立され，現在按針公園（臨海公園）に移されている。そして按針の顕彰と日本で最初の洋式船を造ったことを記念して，前年から按針祭（正式名称は安針祭）が始められた。

1948年の安針祭で記念碑の除幕をイギリス連邦占領軍総司令官H.C.H.ロバートソンが行い，ここでロバートソンはイギリスの詩人エドモンド・ブランデン（1896〜1974）のメッセージを朗読し，これが翌年，按針顕彰碑地近くでのブランデン碑の建立につながった。詩は碑裏面に次のように邦訳されている。

> シェークスピアが未だ在世中，一英人が来てここにまた一つの名声を得，異なれる他の技術をもって日本民族の永き歴史のうちに一地歩を得た。よろこばしきことは300年後に，ウイリアム・アダムスが伊東において，造船の先覚者たちを導いたその場所に来たことである。諸君，即ち伊東の人々は今なお彼の労苦の日々を称賛し，なおまた時代の隔絶が彼を遠くへ運びさっているにも拘わらず，彼のことを卓抜のパイロットだと呼んでいる。私は英国の彼の故郷を知っているし，今はまた太平洋の波に洗われている彼の故郷をついに知った。そして，彼が英国と日本を最初に結んだ人だと考えると，私は誠に幸福である。かつて彼のケント人たるウイルの頭上に，諸君の花環を飾らしめた精神の　今もなお尽きず匂えることは私の喜びである。
>
> 　　　1948年7月8日　　　　　　　　エドモンド・ブランデン（中野好夫訳）

伊東市ではこれ以後安針祭が毎年8月上旬に開かれるようになり，街の一大イベントとして夏の花火で多くの観光客が訪れている。

他地域における按針の足跡

家康は1605年に隠居したが，その際に西洋船建造の功績として，按針に三浦半島の逸見村（現，横須賀市）の250石を与え，その地名と水先案内人の意から三浦按針と称させた。菩提寺である浄土寺の逸見道郎住職は，「日本に領地を持った外国人は按針ただ一人。祖国で身分が低く，学校も出ていない按針は目線を低くして領民にも心を砕いた」と語っており，領民たちは按針を慕い，按針は当地でパンを焼きワインを造ったと伝えられてい

る。併せて按針は向井将監の仲人で結婚し，ジョゼフとスザンナが生まれている。

　その後，按針は家康には厚遇されたが，母国へ帰るという希望は許してもらえず，外交顧問を続けた。1609 年にロドリゴ・デ・ビベロの乗船するスペイン船が，現在の房総半島御宿海岸に漂着した際，按針は彼と交渉し伊東で建造したサン・ブエナ・ベントゥーラ号で帰国の手配をしている。2 年後，スペイン国王フェリペ 3 世から海難救助のお礼として家康にスペインの時計（久能山東照宮所蔵，国の重要文化財）が贈られている。家康死後，按針は秀忠や家光の時代になると冷遇され，1620（元和 6）年に平戸で没し，現在平戸市崎方公園内に墓がある。

　一方，横須賀の塚山公園にも安針塚がある。按針の遺言に，「我死せば，東都を一望すべき高敞の地に葬るべし，さらば永く江戸を守護し，将軍家の御厚恩を泉下に報じ奉らん」（『新編相模国風土記稿』）とある。これに基づいて，横須賀市西逸見町の丘陵に建てられたのが安針塚である。これは1902（明治 37）年の日英同盟を機会に整備されたが，塚の形態は宝篋印塔といい，凝灰岩でできている右塔が按針の塚，安山岩でできている左塔が妻の塚である。按針の遺言どおりとならず，当地で埋葬はされなかったが，国の史跡「三浦安針墓」に指定されている。

　なお，2021（令和 3）年 2 月には国際日本文化研究センター（日文研，京都市）の F．クレインス教授らの研究チームが史料を通じて，按針がオランダ東インド会社の代理人として日本各地で国際的人脈を使って取引していたことを発見している（『静岡新聞』2021 年 2 月 17 日）。これにより徳川家康が按針にかなり自由な行動を許可していたこともわかる。

■参考文献
濱野建雄（鳴戸吉兵衛写）『伊東誌』伊東市立伊東図書館復刻，1969
牧野正『三浦按針の足跡』サガミヤ書店，1979
三浦浄心（芳賀矢一校訂）『慶長見聞集』富山房，1906
村川堅固・尾崎義訳，岩生成一校訂『セーリス日本渡航記・ヴィルマン日本滞在記』，雄松堂，1970
ロジャーズ，P. C.（幸田礼雅訳）『日本に来た最初のイギリス人』新評論，1993

水戸黄門はラーメンを食べたのか？

徳川光圀が出会った大陸の人と文化

門井 寿通

▌7月11日は何の日？

　7月11日が何の記念日だかご存じだろうか。実は，この日は「ラーメンの日」である。日本記念日協会のホームページによれば，「一般社団法人日本ラーメン協会が制定。ラーメン産業の振興・発展とともに，日本独自のラーメン文化を支えるのが目的。日付は7と11の7をレンゲに，11を箸に見立てたことと，ラーメンを最初に食べた人物とされる水戸黄門（水戸光圀公）の誕生日（新暦・1628年7月11日）から。」とある（傍点部筆者）。

　ここで私たちは意外な人物と出会うことになる。「水戸黄門」として知られる徳川光圀（1628〜1700）である。ラーメンといえば，お店で食べるこだわりのラーメンから，家庭で食べるインスタントラーメンまで，私たちの食生活に不可欠な存在といっても過言ではない。しかし，ラーメンは「中華麺」ともいわれるように，もとは大陸の麺食文化に由来している。このラーメンを「日本で最初に食べた人物」とされるのが徳川光圀なのである。

　水戸黄門と大陸の文化を結びつけたものは何だったのだろうか。「水戸黄門のラーメン伝説」誕生の謎に，光圀の人物像と17世紀の東アジア情勢の両面から迫っていく。

▌徳川光圀の改心

　徳川光圀は1628（寛永5）年，水戸で生まれた。父は徳川家康の末子で初代水戸藩主の徳川頼房（1603〜1661）だから，光圀は家康の孫にあたる。水戸徳川家の世継ぎとなった光圀は6歳で江戸へのぼり，水戸藩小石川上屋敷に入った。水戸藩は参勤交代が例外的に免除されており，藩主が江戸

の藩邸に常住し，必要な時だけ幕府の許可を得て帰藩する定めとなっていた。自分の藩に戻るのでさえ許可が必要なのだから，当然，テレビドラマのように諸国を漫遊して悪人を懲らしめ，庶民を救うといったことはできるはずもない。こうしたおなじみの「正義の味方」としての光圀像は18世紀半ばころに成立した小説を起源として，幕末から明治にかけて講談や芝居を通じて形成されたフィクションである。とはいえ，光圀は老人や身寄りのない者の生活保護政策を行い，隠居後は藩内に住んで民情を視察するなど，名君であることに変わりはなかったようである。

　しかし，そんな光圀も，若かりし頃は随分と奔放な振る舞いで，近臣にしばしば注意を受けた。「不良少年」光圀の改心のきっかけは18歳の時，司馬遷の『史記』「伯夷 叔 斉伝」を読んで感銘を受けたことにあるという。儒教において賞賛される親・年長者への孝行を貫いた伯夷と叔斉の兄弟の姿と，兄を差し置いて世継ぎになった我が身を対比して衝撃を受けたという。ここまではよくある「俺も昔は悪かった」の自慢話の類であるから，多少の脚色もあることだろう。しかし，光圀が徹底していたのは，改心のきっかけである『史記』にならって，日本初の紀伝体の歴史書の編纂に取り組んだことだ。すなわち『大日本史』の編纂である。そして，この改心と儒学への傾倒が，光圀と大陸の食文化との出会いにつながっていく。

▌朱舜水との出会い

　光圀が生きた17世紀は，長きにわたる戦乱の時代が終わり，徳川政権による平和，いわば「パクス・トクガワーナ」が実現しつつある時代であった。この時代には，戦国時代の価値観が否定されて文治政治への転換が図られた。そこで，従来，公家や寺院の中でのみ伝授されてきた儒学が脚光を浴びるようになったのである。光圀の儒学への傾倒の背景には，兄との関係に悩んだ個人的な経験に加えて，統治理念としての儒学が重視された当時の時代潮流も見逃すことはできない。尾張の徳川義直（1601〜1650），備前岡山の池田光政（1609〜1682）などの大名も儒学者を招いて儒学を奨励した。光圀もまた，儒学者を招いた。この人物が明出身の儒学者・朱舜水（1600〜1682）である。

図1　朱舜水の像（著者撮影）　茨城県水戸市北見町。

　日本は一足早く安定の時代に移りつつあったが，17世紀前半は東アジア全体で見れば平和の確立とは程遠い戦乱の時代であった。1644年，李自成の乱によって明が滅亡した。その後，李自成は満洲人の建てた清によって駆逐され，北京を首都とした清による占領政策が始まる。明の皇族や遺臣は地方政権を立てて清の支配に抵抗した。特に台湾を拠点に抵抗した鄭成功（1624〜1662）が有名である。朱舜水はこの「反清復明」への支援を要請するために鄭成功によって日本に派遣されたが，やがて抵抗をあきらめ，日本へ亡命した人物である。動乱の東アジアの中で日本は逃れてきた人々に安住の地を提供する役割を果たした。

ラーメン伝説の誕生

　光圀に招かれた朱舜水は，水戸藩に様々な知識をもたらした。この知識は儒学の理論に留まらなかった。彼は広く実生活に応用される「実学」を伝えたのである。例えば，朱舜水はその建築に関する知識を発揮して水戸藩小石川上屋敷に築かれた回遊式の日本庭園・小石川後楽園の完成にも大きく貢献している。庭園の一角には中国様式の石造アーチ橋である「円月橋」がかけられているが，この橋の建設は舜水の設計と指導によるものである。

　光圀は舜水から伝授された幅広い分野の知識を，「格さん」のモデルとされる家臣の安積澹泊（1656〜1738）に命じて『舜水朱子談綺』という書物にまとめさせている。この『舜水朱子談綺』には飲食に関する項目もあり，酒に関する知識から，餃子や饅頭などの食事，果ては月餅などの甘味に至る知識までもが解説されている。なお，ここでは麺（麺）について「日本のうんどん（※うどんのこと）なり」と解説し，餛飩（ワンタン）についての

詳細な解説もあることから，光圀が舜水から大陸の麺食文化について知識を得ていた可能性は高い。

さらに光圀と懇意にしていた僧侶が残した『日乗上人日記』には，元禄10（1697）年6月16日の記事に「かけといふ物振舞に而，御所に参る。うんどんのごとくにて汁をいろいろの子を入てかけたる物也」（傍点部筆者）とある。この「かけ」という食べ物がラーメンだったのではないかと『にっぽんラーメン物語』（駸々堂出版，1987）を書いた料理史研究家の小菅桂子氏は推測しており，これが「光圀がラーメンを日本で最初に食べた人物」とされる説の初出と

図2　小石川後楽園の円月橋（著者撮影）
「後楽園」という庭園名自体，舜水の意見をとり入れて宋代の書物を典拠に光圀が命名したもので，光圀の舜水への心酔ぶりがうかがえる。東京都文京区。

なっている。しかし，『進化する麺食文化』（フーディアム・コミュニケーション社，1998）の著者・奥村彪生氏は既に室町時代に「経帯麺」と呼ばれる中国伝来の麺料理が禅寺で食されていたことを指摘した上で，「光圀がラーメンを日本で最初に食べた人物である」とする小菅説には否定的意見を述べている。このように，光圀が日本で最初にラーメンを食べた人物かはそもそも何を「ラーメン」と定義するかによって賛否両論あり，史料的にも定かではない。

しかし，好奇心旺盛な光圀が当時としてはかなり珍しい食通となったことは間違いないようである。光圀は生類憐みの令を無視して（！）獣肉を食べた。これは，釈奠（孔子を祀る祭祀）には動物の犠牲をささげたからである。また，光圀は藩内に牧場を作って牛から乳を搾らせ，それを白牛酪（チーズの一種）や牛乳酒に加工して口にしていたという。

図3　天妃神社（茨城県，大洗町。著者撮影）　徳川斉昭の時代，異国の神を嫌って日本書紀に登場する弟橘比賣を祀る神社へと祭神が変更された。

海域アジアを横断する媽祖信仰

　この時代の大陸文化と水戸藩の結びつきを示す興味深い事例がもう一つある。それが，茨城県内各地における複数の「天妃神社」の存在である。

　「天妃」「天后」は道教における航海の守り神である「媽祖」の呼称で，その信仰は宋代の福建省に始まり，台湾や琉球にも伝わった。さらに南洋華僑の移住に伴って東南アジアにまで広がった。例えば現在でも，ベトナム旅行をするとホーチミン市郊外のチャイナ・タウンに清代に建てられた媽祖廟を見ることができる。日本における媽祖廟はかつての琉球であった沖縄や，海外との貿易の窓口となった長崎や鹿児島などの地域に多く分布するが，東日本においては極めて珍しい。水戸藩は17世紀の東アジアにおける媽祖信仰の東端であったと考えられる。

　この天妃神社を建立した人物もまた光圀であった。光圀の没後，生前の事績をまとめた『桃源遺事』（巻之四）には，「那珂湊の側に岩船山といふ有鹿島郡也，此山上へ天妃神と申神を初て御祀りなされ候。此神ハ海上風波の難を救給ふ神也。」とある。媽祖を光圀が祀った経緯については，長らく朱舜水と同様に清の支配を嫌って日本に逃れ，水戸藩へと招かれた禅僧・東皋心越（1639〜1696）の影響とされてきたが，最近の研究では，同時代史料からは必ずしも関係性が証明できないといわれている。とはいえ，大陸文化に傾倒する光圀が明清交替の動乱の中で日本に逃れてきた人々から媽祖信仰を受容し，藩内に根付かせたことは想像に難くない。ここでも，東アジアの動乱と逃避地としての日本，そして中華文明に心酔する光圀像が浮かびあがってくる。

図4　ホーチミン市郊外の媽祖廟（著者撮影）

人々の移動と交流がつないだ

　「水戸黄門のラーメン伝説」が広く人口に膾炙したのはなぜだろうか。そ
れは「光圀ならラーメンも食べていたのでは」と思わせるだけの条件が揃
っていたからであろう。第一に明清交替という東アジアの動乱の中，安住
の地を求めて日本に逃れ，移動してきた人々の存在があった。第二に各藩
が新たな秩序を求めていた時代に，大陸の知識・文化が積極的に求められ
た日本側の事情もあった。そして，第三に自己と向き合いつつ，新たな知識・
文化を貪欲に求めた徳川光圀の人物像があった。これらの諸条件が重なり
合い，「水戸黄門のラーメン伝説」は説得力のある物語として人々に受容さ
れたのだ。境界を越えて学びあい，交流する人々の存在は，異なる地域間
の歴史をつなぐ。そこにはもはや「世界史」と「日本史」の区分は必要な
いのかもしれない。皆さんも，身近な地域の歴史がグローバルな歴史と接
続する事例を探してみてはいかがだろうか。

■参考文献
石原道博『人物叢書83　朱舜水』吉川弘文館，1989
奥村彪生『進化する麺食文化』フーディアム・コミュニケーション社，1998
小菅桂子『水戸黄門の食卓　元禄の食事情』中公新書，1992
鈴木暎一『日本史リブレット人048　徳川光圀』山川出版社，2010
藤田明良「東アジアの媽祖信仰と日本の船玉神信仰」『国立歴史民俗博物館研究報告』223，2021

シナ海域における鄭氏の活動

久礼 克季

▌『国性爺合戦』と鄭氏

　江戸時代，近松門左衛門により作られた，『国性爺合戦』。この戯曲は，中国人の父と日本人の母との間に生まれた主人公が，明朝に忠義を尽くして最後に王朝を再興させるというあらすじを持ち，当時の日本で大きな人気を博した。この主人公のモデルとなった鄭成功は，史実において子孫を含め明朝の再興を果たすことはなかった。だが彼は，オランダ東インド会社（正式名称は連合東インド会社〔Vereenigde Oost-Indische Compagnie，以下VOC と略す〕）の台湾における拠点ゼーランディア城を 1662 年に占領し，以後，鄭経，鄭克塽と続く政権を形成した。鄭氏は，1683 年まで台湾や厦門などを拠点に日本や中国と貿易を展開しながら，中国大陸の清朝や台湾を追われた VOC と対抗し続け，これを背景に中国・台湾・日本で英雄と位置付けられている。

　他方で，鄭氏は，シナ海域における貿易を通じて東アジア地域のみならず東南アジアの各地でも活発に活動を行うことで，両地域を結び，つないでいた。

▌鄭氏の台頭とその活動

　鄭氏は，16 世紀後半以降活発となる海洋商人勢力から台頭した。後期倭寇が終息したこの時期，明朝が海禁政策を 1567 年に緩和したことで，それまで「密貿易」とされた自らの活動を明朝に認められた中国の海洋商人達は，活発に活動し始めた。1604 年福建で生まれた鄭芝龍は，海禁緩和当初に有力な勢力を形成していた李旦が 1925 年に死去した後，その集団を

引き継いだことで台頭する。彼は，競争相手を吸収しながら1628年に厦門を占領するなど福建で勢力を拡大し，その中で洋上での治安を安定させた功績を明朝から認められ，「海防遊撃」という沿岸警備の役職に任ぜられた。

　鄭成功は，鄭芝龍の息子である。1624年福松という名で平戸に生まれた彼は，科挙の準備のため1630年に鄭芝龍のいる福建へ向かい，そこで鄭森と名乗った。その後自らの勢力を明朝やその亡命政権に認められた鄭森は，明の亡命政権が壊滅した1645年に擁立された同王朝の隆武帝から，明朝の皇室と同じ「朱」姓を与えられ，名を「成功」とする。その後中国本土において明清交代が展開する中，鄭芝龍が1646年の隆武帝死去に際し清朝に投降する一方，鄭成功は次の皇帝に擁立された永暦帝を支持した。鄭芝龍は，鄭成功に対して投降を持ちかけるが，鄭成功は応じなかった。このため鄭芝龍は，鄭成功と連絡を取ったと

図1　シナ海・マラッカ海峡・ジャワ海周辺域

の嫌疑を清朝にかけられ，1661年に処刑される。その結果，鄭成功は，鄭芝龍の制海権を引き継ぎ，当時のシナ海域において最も有力な海上勢力となった。清朝打倒と明朝復興を目指した鄭成功は，1655年以降清朝からの南京奪回を目指す活動を行うが失敗する。失地回復を図る彼は，1661年にVOCが台湾に築いたゼーランディア城などを攻撃し，1662年これを陥落させて台湾を占領した。だがその直後，鄭成功は急死する。

鄭成功の後を継いだのが，鄭経である。1642年に鄭成功の長男として生まれた彼は，厦門を拠点に育った。鄭経は，1662年の鄭成功死去に際して厦門で後継を宣言したが，1663年に同地を追われ，1664年に拠点を台湾へ移す。その後三藩の乱（1673～1681）が中国本土で起こると，鄭経は，厦門の奪還を意図して三藩側に参加し，一時，福建・広東の勢力圏を獲得した。しかしその後清朝の反撃に遭ったことで，1680年台湾へ撤退し，翌1681年に死去する。

鄭経死去の後，鄭克塽が後継者となったが，内紛による弱体化や清朝からの攻撃で，1683年鄭克塽は同王朝に降伏し，鄭氏政権の幕は閉じられることとなった。

鄭氏がつなぐ東アジアと東南アジア

鄭氏は，シナ海域において行った貿易を通じて，東アジアと東南アジアを結び付けた。

鄭芝龍の時代，中国の銀需要と日本の生糸需要の高まり，徳川幕府による1635年の日本人海外渡航・帰国禁止令や1639年のポルトガル船来航禁止令を背景に，鄭氏は，中国の生糸と日本銀の貿易ならびにマニラから中国への銀輸入を行って利益を得た。1640年代に入ると，鄭氏は，日本で武具材料としての需要が急拡大した鹿皮の取引を中心に，ベトナム南部の広南阮氏やシャム・アユタヤ朝との貿易を大規模に行い，同年代後半には北部ベトナムの鄭氏政権とも貿易を行う。その後，中国の胡椒需要増大および日本での更なる鹿皮需要拡大の中で日本からの銀・銅の輸出も行われるようになった1650年代，鄭氏は，ベトナム・シャム―中国―日本の貿易を強化し，スマトラのパレンバンとも貿易を行った。

　しかし1660年代に入ると，1661年清朝による福建・広東・江蘇・浙江・山東各省の沿岸住民を30里（約7km）内陸に移住させる遷界令の発令，1664年鄭経の中国大陸撤退，同じく1664年の「シャムから中国人を排除する」との内容が含まれるシャム・アユタヤ朝とVOCとの「平和条約」締結といった，鄭氏の活動に重大な影響を及ぼす出来事が生じる。中国大陸やシャムでの活動が難しくなった鄭氏は，自らが拠点を置いた台湾からの日本向け砂糖輸出に着手する一方で東南アジア各地との貿易を強化し，後者についてはマレー半島東岸のリゴール（現ナコンシータマラート）やカンボジアなどでも活発に貿易を展開した。こうした状況で，更に西ジャワのバンテン王国と鄭氏との関係が，偶然に構築される。1666年，広南にバンテンからの船が到着し取引を行っていたところに，同年ないし翌年台風で流れ着いた鄭氏の船が現れたことで邂逅した鄭氏とバンテンは，特に1670年以降，互いの使者ならびに書簡が大きな敬意を持って受け入れられるなど非常に緊密となり，多くの人と物が往来するに至る。バンテン王国と関係を構築した鄭氏は，更に同王国による後援の下，当時マタラム王国の影響下にあった中部ジャワのルンバンやパジャンクンガン，東部ジャワのグルシクなど，ジャワ北岸地域でも活発に活動した。中部ジャワを中心に船舶の建造材となる良質なチーク材を産出したジャワ北岸地域において，鄭氏は，船舶の建造・購入を主に行う。遷界令およびアユタヤとVOCとの「平和条約」の影響により中国大陸やシャムにおいて船舶の調達が困難となる一方で多くの船舶が耐用年数を迎えつつあった鄭氏にとって，ジャワ北岸地域で船舶の建造・購入ができたことは，非常に重要であった。

　鄭氏とバンテン王国が良好な関係となった背景には，両者の貿易とVOCとの対抗がある。先述の通り，当時鄭氏は胡椒の中国への販売を貿易の柱の一つとした一方，この時期アブドゥル・カディルならびにアブドゥルファタ・アグン両王の下で全盛期にあったバンテン王国は，当時同王国が影響下に置いた西ジャワならびに南スマトラで生産された胡椒の輸出を柱として貿易活動を大きく展開させていた。ここで胡椒を求める鄭氏とその販路を求めるバンテン王国の利害が一致したことから，バンテンから鄭氏に向け胡椒が輸出されることになった。

胡椒貿易において，主要な対価となったものの一つが，肥前陶磁である。17世紀前半に製造が開始された肥前陶磁は，同世紀後半には国内で広く流通するとともに海外へも輸出されるようになり，その最も主要な海外輸出先となったのがバンテン王国であった。バンテンにおける考古学調査では，当地の遺跡で最も多く肥前陶磁が出土する場所が使われた時期が1663〜1682年であったとされ，バンテンで鄭氏が活動した時期と一致する。肥前陶磁について鄭氏は，台湾からバンテン王国へ直接輸出したことに加え，厦門やベトナム，カンボジアなど別の地域を経由した取引を並行して行った。バンテンへの肥前陶磁の輸出は，VOCも行っていた。しかし，バンテン王国とVOCは，特にアブドゥルファタ・アグン治世期において極めて強い緊張関係にあったため，VOCによる取引はかなり限定されていたと考えられる。他方で，バンテン王国と鄭氏は，貿易だけでなくVOCと大きく対立していた点でも利害が一致しており，この点を考慮すれば，両者で行われた肥前陶磁の貿易がVOCを介した取引を上回っていた可能性は，極めて高い。

　以上のことから，鄭氏は，清朝やVOCと強く対抗しながら，日本銀・銅と鹿皮・胡椒，後には肥前陶磁と胡椒の貿易を展開して，東アジアから東南アジアとシナ海域をまたいで活発に活動を行っていたことがわかる。即ち，鄭氏は，1683年清朝への降伏によってその活動に終止符が打たれるまで，シナ海域を介して東アジアと東南アジアとをつなぐ非常に重要な役割を果たしていたのである。

■参考文献 ─────────────────────────────

上田信『海と帝国─明清時代─』講談社, 2005

上田信『シナ海域蜃気楼王国の興亡』講談社, 2013

久礼克季「台湾鄭氏と東南アジア─鄭氏最後の生命線」上田信・中島楽章編『アジアの海を渡る人々
─一六・一七世紀の渡海者』春風社, 2021

久礼克季「17世紀ジャワ北岸地域における華人の活動─1630～1680年に関して─」『東南アジア
─歴史と文化─』51号, 2022

国宝「慶長遣欧使節関係資料」から見える世界史

佐々木 和博

　仙台市博物館所蔵の「慶長遣欧使節関係資料」（以下「慶長資料」）47点は1966年に重要文化財，2001年に国宝に指定された。そして2013年にはスペイン保管の文書94点とともにユネスコの「世界の記憶」に登録された。これは大航海時代の日欧交流を示す資料として，その意義が国際的に認められた結果といえる。しかし登録されたのは全47点ではなく，その中の支倉常長像（以下，常長像），ローマ教皇パウロ五世像（以下，パウロ五世像），ローマ市公民権証書（以下，公民権証書）の3点だけであった。

　2012年3月，スペインと共同で「慶長資料」の推薦書をユネスコに提出した。しかし，ユネスコから上記3点以外を除外するようにとの勧告を受け，翌年1月に再提出して登録に至ったのである。勧告内容は非公開のため不明であるが，そこには「慶長資料」に対する基本的な認識に関わる問題があるのではないかと思われる。

▌慶長遣欧使節

　まず，その概要を見ておくことにしたい。1613年，仙台藩主伊達政宗（1567〜1636）はメキシコとの貿易や宣教師の派遣などについて交渉するために家臣支倉常長（1571〜1621/22）を大使，フランシスコ会宣教師ルイス・ソテロ（1574〜1624）を案内役とする使節団をメキシコ，スペイン，イタリアに派遣した。これが慶長遣欧使節（以下，使節）である。使節派遣計画は幕府の了解のもとに進められ，使節船サン・ファン・バウティスタ号（洗礼者聖ヨハネ号）も幕府の協力を得て新造された。しかし使節の出帆直後，幕府はキリスト教に対する禁圧政策を強化する方向へと舵を切った。使節はその影響もあり，成果を得ることなく7年後の1620年に帰国した。

国宝指定名称	員数	研究者による名称	員数	製作地	年　代
Ⅰ．ローマ市公民権証書	1通			ローマ	1615年
Ⅱ 肖像画 1. 支倉常長像	1面			ローマ	1615年頃
Ⅱ 肖像画 2. **ローマ教皇パウロ五世像**	1面			ローマ	1615年頃
Ⅲ 聖画・聖具類 1. ロザリオの聖母像	1面			フィリピン/中国	16世紀末〜1620年
Ⅲ 聖画・聖具類 2. 祭服	1領	カズラ		中国	16世紀末〜1620年
Ⅲ 聖画・聖具類 3. 十字架像	1口				
Ⅲ 聖画・聖具類 4. 十字架及びメダイ	1具	十字架	1口		
Ⅲ 聖画・聖具類 4. 十字架及びメダイ	1具	プラケット	1点	アジア/日本	16世紀末〜1640年
Ⅲ 聖画・聖具類 5. 十字架	1口				
Ⅲ 聖画・聖具類 6. ロザリオ	5連				1590年〜1640年代
Ⅲ 聖画・聖具類 7. ディスチプリナ	1口				
Ⅲ 聖画・聖具類 8. テカ及び袋	1具				
Ⅲ 聖画・聖具類 9. レリカリオ	1口			インド/中国	16世紀〜1620年
Ⅲ 聖画・聖具類 10. メダイ残欠	6片	プラケット残欠		ヨーロッパ	16世紀末〜1620年
Ⅳ 馬具・染織類 1. 鞍	2背	木心革張鞍	1背	西ヨーロッパ	1575年〜1620年
Ⅳ 馬具・染織類 1. 鞍	2背	木製鞍	1背	中国	1550年〜1640年
Ⅳ 馬具・染織類 2. 鐙	1双	真鍮製鐙	1双	イタリア	1550年〜1620年
Ⅳ 馬具・染織類 2. 鐙	1隻	鉄製鐙	1隻	中国	16世紀〜1640年
Ⅳ 馬具・染織類 3. 轡	2口	大勒馬銜	2口	ヨーロッパ	1600年〜1620年
Ⅳ 馬具・染織類 4. 四方手	1具			日本	16世紀頃〜1640年
Ⅳ 馬具・染織類 5. 野杏	1具			日本	16世紀〜1640年
Ⅳ 馬具・染織類 6. マント及びズボン	1具	道中着兼雨衣		スペイン	1570年〜1620年
Ⅳ 馬具・染織類 7. 壁掛	1枚			中国	1580年〜1620年
Ⅳ 馬具・染織類 8. 縞模様布	1枚				
Ⅳ 馬具・染織類 9. **短剣**	2口	カスターネ	1口	スリランカ	16世紀〜1620年
Ⅳ 馬具・染織類 9. **短剣**	2口	クリス	1口	インドネシア	16世紀〜1620年
Ⅳ 馬具・染織類 10. 印章	2顆				
Ⅳ 馬具・染織類 11. 留金具	10点				

註：斜体は史料的な裏付けのある将来品で，ゴシック体は藩政期に伊達家が保管していたもの

表1　国宝「慶長遣欧使節関係資料」における各資料の製作地と年代

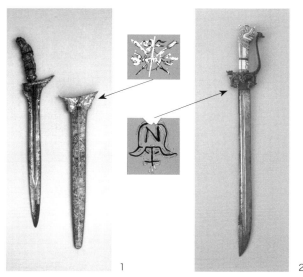

図1　行程から外れる地域で製作された使節の将来品（仙台市博物館蔵）
1　短剣（クリス）　全長51.1cm。
2　短剣（カスターネ）　全長53.2cm。

「慶長資料」の内容と課題

　「慶長資料」47点は公民権証書（1点），肖像画（2点），聖画・聖具類（10種19点），馬具・染織類（11種25点）からなる（表1）。1966年，これらはすべて使節の将来品で，キリシタン研究・日欧交渉史研究の注目すべき資料であるという評価を得て重要文化財に指定された。この評価は国宝指定時にも継承され，現在に至っている。しかし，47点それぞれについての検討・研究は現在も進行中である。したがって，まず必要なことは47点の一括評価ではなく，各資料に対する史料批判を着実に進めることである。

　意外にも，47点中，史料的な裏付けのある使節の将来品は5点だけで，それは公民権証書，常長像，パウロ五世像，短剣2口（図1-1・2）である。藩政期には，後二者は伊達家が直接保管し，前二者は仙台藩切支丹所（以下，切支丹所）が没収品として保管していた。これ以外の42点は公民権証書や常長像と一緒に没収品として切支丹所に保管されていたために，使節の将

3

3　壁掛　縦207.5cm，横134.4cm。

来品とされているに過ぎない。

切支丹所保管の44点は1640年の支倉家改易に伴う没収品とされている。常長の嫡男常頼は，召使家族がキリシタンであったことや同家にキリシタンが出入りしていたことなどの責任を問われ，斬罪に処せられた。44点は常長帰国後20年を経て没収されたもので，この間，支倉家は宣教師を匿うなど，この地域の宣教拠点の一つとなっていた。したがって44点は使節との関係だけではなく，1640年までの支倉家の状況を踏まえて理解し，評価する必要がある。

「慶長資料」の年代と地域

モノには程度の差はあれ年代と地域の特徴が内在している。それは，製作した人が生きた時代と地域の特徴がモノに反映されるからである。これを見出して各資料の年代と地域を絞り込み，使節との関係の有無を掴むことが着実な方法といえる。つまり，これがモノに対する史料批判である。

紙幅の関係で各資料の年代や地域に関す具体的な根拠を示すことは割愛するが，現時点で得られた結果をまとめたのが表1である。このうち，ヨーロッパ製は公民権証書，肖像画，鞍（木心革張），メダイ残欠（プラケット残欠），真鍮製鐙，轡（大勒馬銜）である。ヨーロッパとアジアの要素が認められるものにはロザリオの聖母像，祭服（カズラ），レリカリオ，メダイ（プラケット），壁掛（図1-3），短剣がある。ヨーロッパの要素が皆無なものに馬具の四方手，野杢，木製鞍，鉄製鐙がある。前二者は日本独自の馬具で，しかも極めて一般的な作りである。後二者は中国（明）のものである。鞍の前輪中央部が凹んでおり，鐙には銀象嵌で獅子，孔雀，鳳凰などが表現さ

れている。これらの馬具は支倉家の所有品とはいえても，使節の将来品とすることは難しい。

仙台藩による没収作業は，上記の馬具が含まれていることを勘案すれば，使節の将来品を含む一定のまとまりのある品々を対象にして行われ，その際，将来品かどうかを一つ一つ確認することなく進められたと考えられる。

使節の将来品から見える世界史

使節の行程の概要は表2のとおりである。一行が訪れたのはメキシコ，キューバ，スペイン，フランス，イタリア，フィリピンであり，太平洋，大西洋，メキシコ湾，地中海，東シナ海を航海した。「慶長資料」47点のうちヨーロッパ製のものは，年代的に見て使節の将来品かその可能性が高いものといえる。ヨーロッパとアジアの要素が認められるものも，メダイ（プラケット）を除き，使節の将来品の可能性が高い。メダイ（プラケット）は「ロザリオの聖母」の図像を鋳出し，周囲にロザリオを配するもので，このタイプはヨーロッパでは未確認だが，日本に3例ある。このことから，日本を含むアジアでの製作と考えられる。

使節の将来品にヨーロッパ製があることは，その行程を見れば頷ける。しかし，この行程から外れた地域の品々は，史料からは窺えない使節のもう一つの側面を明らかにしてくれる。使節の将来品のうち，短剣2口の一つはインドネシア（ジャワ島）のクリス，もう一つはスリランカのカスターネで，前者の鞘には心臓を貫くX字状の矢の絵が，後者の柄と刀身の間には「N」字の銀象嵌があり，ともにヨーロッパとの関わりが確認できる。し

往路	石巻→太平洋→メキシコ（アカプルコ→メキシコ市→ベラクルス）→メキシコ湾→キューバ（ハバナ）→大西洋→スペイン（コリア・デル・リオ→セビリア→マドリード→バルセロナ）→地中海→フランス（サント・ロペ）→地中海→イタリア（ジェノヴァ→地中海→チヴィタ・ヴェッキア→ローマ）
復路	イタリア（ローマ→チヴィタ・ヴェッキア→地中海→リヴォルノ→地中海→ジェノヴァ）→地中海→スペイン（バルセロナ→マドリード→セビリア）→大西洋・メキシコ湾→メキシコ（ベラクルス→メキシコ市→アカプルコ）→太平洋→フィリピン（マニラ）→東シナ海→長崎→仙台

表2　慶長遣欧使節の行程

かも製作地はインド洋に属する地域で，使節の行程からは大きく外れている。切支丹所保管の品々の中にも使節の行程から外れる祭服（カズラ），レリカリオ，壁掛などアジア特に中国との関わりが認められるものがある。

　では，使節の行程外地域で製作された将来品とその可能性が高い品々はどのように理解できるであろうか。使節が派遣されたのは大航海時代後期である。その主導国であるポルトガルとスペインはトルデシリャス条約（1494）とサラゴサ条約（1529）を結び，アフリカとインド洋世界はポルトガルが，アメリカと太平洋世界はスペインが，それぞれ優先権をもつことを決めた。ただ1580年から1640年まではスペインがポルトガルを併合していた。短剣2口はこのような状況を踏まえて理解する必要があろう。

　一方，明朝は1557年頃にポルトガル人のマカオ居住を認め，また1567年には海禁政策を緩和して漳州月港を開いた。その結果，マニラにはマカオのポルトガル船と月港の中国船が頻繁に来航するようになり，中国製品等を大量にもたらした。これを背景にスペインはマニラ―アカプルコ間のガレオン貿易（1572～1815）を行い，中国を中心とするアジアの産品をアメリカとスペインに運んだ。宗教面ではトリエント公会議（1545～1563）を承けて，アジアへの宣教活動が活発化した。使節の将来品とその可能性が高いアジア製品からは，このような歴史的な動向と広域ネットワークの存在が窺えるのである。

　使節の将来品とその可能性が高い品々をとおして，史料からは窺えない広域のつながりが見えてきた。それらの中に，使節の行程から外れるインドネシア，スリランカ，中国などの製品が含まれていることから，ヨーロッパとアジアのつながりの中に使節を位置づけることが可能となる。

　このように，使節に対する理解はスペインとのつながりという単線的な視点だけでは不十分である。使節を大航海時代の広域ネットワークの中に位置づけることによって，さらにその理解と意義を深化させることができるのである。

■参考文献
五野井隆史『人物叢書234　支倉常長』吉川弘文館，2003
佐々木和博『慶長遣欧使節の考古学的研究』六一書房，2013
仙台市史編さん委員会『仙台市史　特別編8　慶長遣欧使節』仙台市，2010

ユーラシアに広がる
チベット仏教の世界

杉山 清彦

時空を超えてやって来たマハーカーラ仏

　わが寛永11年，日本海の向こうでは大清建国前々年に当たる後金の天聡8（1634）年。都・盛京（中国・遼寧省瀋陽）に，仏像を奉じたモンゴルからの一団が到着した。

　　──モンゴルの大元国の世祖フビライのとき，パクパ・ラマがマハーカーラ仏を黄金で鋳造して五臺山（山西省にある文殊菩薩信仰の霊場）に祀っていた。（その後）サキャの地に持って行って祀り，さらに大元国の後裔のモンゴルのチャハル国に持ってきて祀っていた。マンジュ国（後金）のスレ・ハン（第2代ホンタイジの称号）がチャハル国を討つとチャハル国は自壊して，国人がみな帰順するとき，メルゲン・ラマが

図1　実勝寺の本堂（右）**とマハーカーラ楼**（左）
文化大革命で破壊され，近年に再建されたもの（2004年，著者撮影）。

マハーカーラ仏をたずさえて帰順し……到着した。（『内国史院檔』天聡
8年12月15日条）

　すなわち，かのモンゴル大元帝国の建設者クビライ（フビライ）の治世に，
チベット仏教僧の帝師パクパ（パスパ）が鋳させた護法尊マハーカーラの像
が，時を超えて後金ハン・ホンタイジ（1592〜1643）のもとへもたらされ
たというのである。彼は盛京郊外にチベット仏教寺院・実勝寺を造営し，
このマハーカーラ仏を奉祀した。

　後金は，その名の通りかつて12世紀に金を建てた女真（女直）すなわち
ジュシェン人が建てた国であり，それがモンゴル伝来の秘仏を奉じたとい
うのは，どういういきさつなのだろうか。モンゴルと満洲が，チベットを
通して結ばれる——そのつながりを追ってみよう。

チベット仏教とモンゴル

　大清帝国の前身である後金は，ホンタイジの父ヌルハチ（1559〜1626）
が建てた国であり，もともとは出身部族の名を取ってマンジュ国と名乗っ
ていた。その漢字表記が満洲であり，後にこの言葉はジュシェンに代えて
彼らの民族名となり（1635），またその住地という意味で地域名としても用
いられるようになる。ジュシェンと呼ばれていた時代には，彼らの間には
シャーマニズムが広く見られたが，それを統べたマンジュ国が採り入れた
のがチベット仏教であった。

　チベット仏教は，南のインドからヒマラヤを越えて直接チベットに伝来
して発展した大乗仏教である。日本では，ふつう仏教というと，南伝した
上座部仏教と北伝の大乗仏教の二つに大別して理解されているが，第三の，
そして最も新しい教派がチベット仏教なのである。かつてラマ教とも呼ば
れたが，これは正統な仏教とはみなさない含意を持つ俗称（ラマは師僧の意）
なので，適切ではない。

　チベットでは，廃仏などの波瀾を乗り越えて11世紀以降仏教が根を下ろ
し，やがていくつもの宗派が教団勢力を築いて割拠した。13世紀にモンゴ
ルがユーラシアを席捲したとき，いち早く結びついたのが帝師パクパを出
したサキャ派である。モンゴル帝国の解体後も，各教団勢力はチベット内

外で提携相手を探して競いあい，とりわけ15世紀に成立したゲルク派が急速に勢力を広げた。

　新興のゲルク派はモンゴル布教に積極的に乗り出し，1578年，高僧ソナム・ギャムツォがモンゴルの実力者アルタン・ハーンと青海地方で会見して，帰依させることに成功した。モンゴル帝国時代は王侯貴族の範囲にとどまっていたチベット仏教信仰は，このアルタンの改宗をきっかけに今度は爆発的に普及し，わずか四半世紀ほどの間にほとんどのモンゴル系遊牧民がチベット仏教を奉じるようになる。

　このときアルタンは，「ソナム・ギャムツォ（福徳の海）」の名にちなんで，モンゴル語で海を意味する「ダライ」を織りこんだ尊号を献じた。これが今日に続くダライ・ラマの系譜の始まりである（1・2世が追贈されたので，ソナム・ギャムツォは3世と称される）。チベット仏教では，高徳の僧は死去すると現世に転生して衆生の救済を続けるとされ，この時期，転生者とされる男児を養育して名跡を継承させる転生相続制度が広がっていた。ダライ・ラマはその代表格であり，5世（1617〜1682）のときに数ある宗派と転生系譜の頂点に立ち，現在の14世（1935〜）に至っている。

マンジュとチベット仏教

　ヌルハチがユーラシア大陸の東北隅で勢威を広げつつあった17世紀初頭，このようにチベット仏教は中央ユーラシア東半をまさに覆おうとしていたのである。かつまた，金（1115〜1234）がモンゴル帝国に滅ぼされて以来，ジュシェン人にとってモンゴルはいわば主筋に当たり，文化面でも，ヌルハチがモンゴル文字を基にマンジュ文字を創らせたように（1599），手本でもあった。そのモンゴルが民族を挙げて帰依するさまを目の当たりにしたヌルハチ父子にとって，チベット仏教の導入は国づくりにおいて必須のものと映ったであろう。とりわけホンタイジはモンゴル的教養の持ち主で，チベット仏教の重要性をよく認識していた。

　折から，当時分裂状態だったモンゴルの中で宗家に当たるチャハルのリンダン・ハーンが，1634年に遠征先の青海で急死した。ホンタイジがこの隙を衝いてチャハルに電撃出兵すると，リンダンの皇太后と遺子は大元皇

帝の玉璽とされる印璽をたずさえて降った。このときもたらされたのが，
件のマハーカーラ仏だったのである。

　大元の玉璽なるものは，土中から発見されてアルタン王家に帰し，さら
にリンダンが手中にしたという触れ込みで，どう見てもうさんくさい代物
であった。しかしその真贋は，ホンタイジにとってどうでもよかった。彼
はこの玉璽の入手を以て，大元の天下が自らに引き継がれたものと解釈し，
1636年に皇帝位に即き国号を「ダイチン／大清」と改める。ジュシェン改
めマンジュ人だけでなく，モンゴル人・漢人をも従える帝国に脱皮したこ
とを宣言したのである。

　同じこの年，ホンタイジはマハーカーラ仏像を安置するために勅建寺院，
すなわち実勝寺を起工する。おそらくホンタイジは，大元の玉璽を通じて
自らの大清皇帝の位を大元ハーンの継承として演出し，またクビライと
パクパに因縁を持つ仏像を祀ることで，モンゴル人に対して自らをチベット
仏教の再興者と喧伝しようとしていたと思われる。その視線はさらに西へ
向けられており，大胆にもダライ・ラマ5世を遠路招請することをも企図
していた。ホンタイジはさすがにこれを果たすことなく没するが，1644年

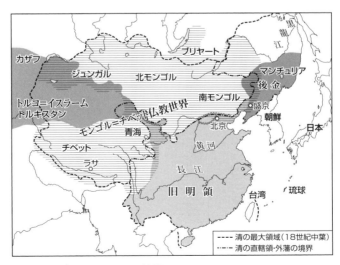

図2　モンゴル＝チベット仏教世界（杉山清彦「マンジュ大清国の支配構造」
『岩波講座世界歴史12』（岩波書店，2022）189頁を改図）

に明に代わって紫禁城の主となった子の順治帝フリン（位1643〜1661）が、1652年に北京で5世との会見を実現することになる。

■ ユーラシアに広がるチベット仏教世界

この時期、チベット仏教が北方のモンゴルやその別派オイラトの王侯たち、さらには北京に鎮座したマンジュの王権にまで広く受け容れられたのはなぜであろう。それは、世界の成り立ちと秩序を説明する普遍性を備え、共通の価値観や行動規範を提供できたからである。

これらの地域では、仏法に則り衆生のための政を行なうことを善とする「仏教政治」という理念が共有され、王侯たちは価値の源泉となるダライ・ラマを共通して尊崇した。この規範のもと、クビライやアルタンのように仏教に帰依し奉仕する世俗の王者は、仏法を護り国土に安寧をもたらす転輪聖王であると称揚され、彼らとパクパやダライ・ラマ3世との関係は、高僧に対する施主（檀家）と位置づけられた。そこで王侯たちは、これに倣ってダライ・ラマの施主になろうとし、康熙帝（位1661〜1722）はオイラト系ジュンガルの君主ガルダン・ハーンらとその座を競いあったのである。

このような仏教的王者観は、天子の一元的支配に収斂して並立する存在を認めない儒教的天下観と異なり、複数の王権を正当化できる柔軟性を備えていた。また一神教的世界観とも異なって、仏教的神格は複数が並存しえたため、マンジュの大清皇帝は文殊菩薩の化身として、観音菩薩の化身であるダライ・ラマはじめとする化身僧たちと聖的にも並び立った。

このようなチベット仏教の普遍性と体系性は、これら中央ユーラシア東半の諸勢力に、中国の華夷思想に対抗しうる理念的・文化的基盤を提供した。ユーラシアを鳥瞰したとき、儒教＝漢字文化圏やトルコ＝イスラーム圏とともに、17世紀に確立したモンゴル＝チベット仏教世界の広がりを見落してはならない。

20世紀、不幸にも共産主義政権の支配が広がったユーラシアの内陸域では、一党独裁のもと宗教弾圧が繰りひろげられ、チベット仏教は苦難の下におかれた。しかし、冷戦が終結するや鮮やかに甦っている。モンゴル国やロシアのブリヤート共和国などでは、1990年代以降たちまちチベット仏

図3　ロシア・ブリヤート共和国のイヴォルギンスキー寺院　ロシア式建築の事務棟との
対比が際立つ（2008年，著者撮影）。

　教が復興し，その信仰圏ははるか西方，カスピ海西北に位置するロシアの
カルムイク共和国——オイラトの一派の後裔で，「ヨーロッパ唯一の仏教国」
（！）と呼ばれる——まで広がっている。これらの国々では至るところにダ
ライ・ラマ14世の写真が掲げられ，それが今なお禁圧されている中国支配
下のチベット本土と対照をなしながら，信心の勁さを静かに伝えている。

■参考文献
石濱裕美子『清朝とチベット仏教—菩薩王となった乾隆帝』早稲田大学出版部，2011
石濱裕美子『物語チベットの歴史—天空の仏教国の1400年』中公新書，2023
岩尾一史・池田巧編『チベットの歴史と社会』上下，臨川書店，2021
沖本克己編『新アジア仏教史09 チベット　須弥山の仏教世界』佼成出版社，2010
杉山清彦『大清帝国の形成と八旗制』名古屋大学出版会，2015

アンコール遺跡の墨書

「祇園精舎」と勘違いした江戸時代の日本人

岩下 哲典

▌ 森本右近太夫，遺跡に墨書する

　世界遺産アンコール・ワットの石の柱に江戸時代初期の日本人の墨書（落書き）が十数例あることが知られている。今日の文化財保護の観点からは，世界遺産のみならず文化財に落書きをすることは決して許されない。現代の法律では有罪であるが，江戸時代には文化財という概念も，保護し罰する法律もないので，書いた本人たちには罪の意識はない。では，なぜ，落書きをしたのか。

　そもそもアンコール・ワットとは何か。アンコールとは，国や都を意味するサンスクリット語である。ワットは寺なので，国都の寺という意味だ。アンコール・ワットは，カンボジアのトンレサップ湖周辺のアンコール遺

図1　アンコール・ワット／Alamy

跡群の中で最も有名な石造寺院遺跡である。カンボジアの国旗にも国民統合の象徴として描かれている。12世紀ごろクメール王スールヤヴァルマン2世によってヒンドゥー寺院として建立された。ヒンドゥー経典「マハーバーラタ」「ラーマーヤナ」をモチーフとしたレリーフが特徴で，スールヤヴァルマン2世没後はその墓所となった。クメール美術の最高峰だ。14世紀ごろシャム（タイ）人が侵入し仏教寺院として使用された。なお，周囲の濠には水量の調節機能が備わっていた。

　そのアンコール・ワットの日本人落書きの中で最も有名なのは，森本右近太夫一房のものだ。何通りかの読みがあるが，ここでは，それらを勘案して現代文に翻訳した。

　　寛永9（1632）年正月にこの地（アンコール・ワット）にはじめて来た。日本の肥前国の住人藤原朝臣森本右近太夫一房である。この御堂を心に描いて千里の海上を渡り，仏の信仰を念じ，出生から行く末までの雑念を清めたい。そのために仏像を4体奉納した。摂津国の住人森本儀太夫一吉こと，善魂道仙士の解脱のため，その名を書く。また尾張国出身の後妻である老母明信大姉の後世のためにもその名を書く。

図2　アンコール・ワットに残された森本右近太夫の墨書
／アフロ

寛永 9 年正月 20 日

　肥前（長崎県）の住人で，平戸城主松浦氏に仕えていた森本右近太夫が，寛永 9（1632）年正月 20 日にはじめてアンコール・ワットに参詣して，父母の来世での安穏を願う意を込めた墨書である。単なる落書きでないので，以後は墨書とする。

　まさに，「この御堂を心に描いて千里の海上を渡り，仏の信仰を念じ，出生から行く末までの雑念を清めたい」，「仏像を 4 体奉納」し，父母の名前を墨書したとある。途中の航海や港などでも，多くの困難があり，生命の危険を何度も乗り越えたのであろう。おそらく朱印船に乗ってカンボジアまで来たのではないだろうか。右近太夫は，カンボジアで，このすばらしい巨大な石の寺院を見て，これこそが，釈迦のための寺院「祇園精舎」ではないかと思い，今，自分が生きていられることに感謝し，自分を生んでくれた摂津（大阪府）出身の父儀太夫（加藤清正配下の武将とされる）と尾張（愛知県）生まれの母に感謝し，その戒名を記した。右近太夫は，仏教の純粋な信仰心から「祇園精舎」の石柱にじかに墨書して，父母と自分の救いを得ようとしたのであろう。

アンコール・ワットは「祇園精舎」なのか

　右近太夫は，墨書に明確に「祇園精舎」とは書いていない。水戸の徳川ミュージアム（彰考館）が所蔵する「祇園精舎図」（図 3）が，右近太夫と同時代のアンコール・ワットであるとされている。さらに，その図は右近太夫作ともいわれており，アンコール・ワットを「祇園精舎」と勘違いしたのではないかと考えられている。この「祇園精舎の図」は，安永元（1772）年の年紀があり，以下のような作成の経緯が知られる。すなわち 3 代将軍家光（1604 〜 1651）の時代に長崎の大通詞島野兼了なる人物がインドのマガタ国に「祇園精舎」があるので見分するように命じられた。島野は，オランダ船で行けば容易であると答え，その年のオランダ船に乗って「祇園精舎」に到達し，日本の寸法で絵図を書いたものであるとする。その図を1715（正徳 5）年に藤原忠寄の祖父忠義が，長崎で模写したものであると注記する。また，本図は，水戸藩の儒者で彰考館総裁立原翠軒の印記も押

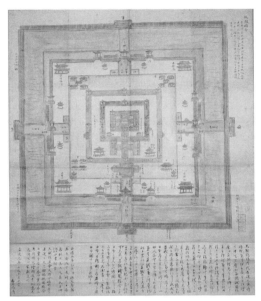

図3　「祇園精舎図」(徳川ミュージアム蔵)　©徳川ミュ
ージアム・イメージアーカイブ／DNPartcom

されている。
　家光時代に島野大通詞が家光の命で「祇園精舎」調査に行ったことは確
認できない。そのころ「祇園精舎」が話題にはなっていたのだろう。右近
太夫が，アンコール・ワットを「祇園精舎」と勘違いしてもおかしくはない。
また，前述したように「祇園精舎の図」を右近太夫が作成したという説は，
父儀太夫が土木技術者でもあったからという。決定打には欠けるが，右近
太夫がアンコール・ワットで「祇園精舎」に出会ったと思いこみ，自分や
父母の名を墨書したことは，十分ありえる。

美作（岡山県）津山の森本家

　ところで，美作国（岡山県）の津山城下で代々「錦屋」という商家を営ん
でいた森本家は，かの森本右近太夫縁者の子孫といわれている。
　1603（慶長 8）年，森蘭丸（1565 〜 1582）の弟，森忠政（1570 〜 1632）
が関ヶ原の合戦で徳川家康に味方し，その論功行賞により信濃（長野県）川

中島から入部して津山城の建設が始まった。右近太夫の叔父，つまり父儀太夫の弟宗右衛門が，倉敷から津山に出て来て商売を始めたのが「錦屋」森本家の初代である。二代目は町年寄を勤め，また藩主森家の御用達，ついで森家が改易された後に入部した松平家の御用商人を勤めて，津山城下の発展に尽くしてきた。津山周辺の新田開発にも大いにかかわった。津山発展の功労者の一人でもある。

今，津山城大手門の脇に，森本家の子孫が運営する①つやま自然のふしぎ館　②歴史民俗館　③森本慶三記念館等がある。①には世界的にも珍しい動物の剥製が多く展示されている。②には錦屋関係の歴史資料があり，③は内村鑑三に私淑したキリスト者森本慶三の記念館である。慶三は1926（大正15）年，私財を投げ打ち，基督教図書館を設立し，多くの貴重なキリスト教関係書籍を収集，市民の閲覧に供し，1950（昭和25）年には高校を設置・開校した。さらに1963年には津山科学教育博物館を開設し，現在，財団法人化して「つやま自然のふしぎ館」となっている。海外に飛び出し，その名をアンコール・ワットにとどめた右近太夫の縁者の子孫には海外への思いが連綿と受け継がれた。

一方，儀太夫の墓と位牌は，現在，京都市寺町の乗願寺にあり，儀太夫は1651（慶安4）年に没したと位牌にはある。位牌は，肥後（熊本県）熊本城主細川家家臣の森本義十郎が1849（嘉永2）年に墓参してつくったという。さらに同寺の書院の庭池の石組みに儀太夫の縁者らしきものの墓石が転用されているらしい。儀太夫の直系の子孫は代々細川家に150石で仕えていた。また，平戸松浦家家臣にも森本氏が幕末までいることが同家の分限帳から知られており，各地に右近太夫の縁者がいた。商人になった者，武士になった者，それぞれに近世という時代を生き抜いたのだ。

■ 海外渡航者の思い

アンコール・ワットに墨書をした日本人には右近太夫のほかにも，肥後国安原屋嘉衛門尉や肥後農何某とその妻，また肥前農孫左衛門尉とその妻などがおり，西国それも九州が圧倒的に多い。おそらく朱印船貿易による西国日本人の海外雄飛の結果であるが，妻とともに訪問していることは興

味深い。ただし，日本から連れてきたのか，そうでないのかは検討を要する。墨書に「同　内儀」とあるので，日本から連れてきた「妻」と考えておく。

　ともかく，1604（慶長9）年から1635（寛永12）年まで，およそ356通の朱印状が発給され，同数の朱印船が東南アジア各地を航海し貿易をおこなった。輸入品は生糸や絹織物の嗜好品，鮫皮などの武具の部品，鉛，砂糖，薬種など，輸出品は銀・銅・鉄・硫黄・樟脳などの鉱物資源，漆器や刀剣などの工芸品であった。船主は島津・松浦・加藤氏ら西国大名や末次平蔵，茶屋四郎次郎などの商人，さらに三浦按針などの外国人であった。その活動によって，フィリピンのマニラ，ベトナムのホイアン，シャムのアユタヤ，台湾などに日本人が住む日本町が形成された。そのうちマニラとアユタヤには，多くの日本人住民が居住していて規模が大きかった。アンコール・ワットのそばのピネアルーにも日本人町があり，そこではキリスト教の信仰が盛んだったといわれる。いわゆる「鎖国」の後は，帰国や海外渡航が禁止され，多くの日本町は日本との往来が途絶えがちになり，日本人もそのうち現地社会の中に吸収されていった。しかしながらバタヴィアにはオランダ船が書簡などを運んできて，長崎との交流があったことが知られている。

　海外に渡航した日本人が頼みにした信仰の一つが仏教であった。「祇園精舎」は単なる寺院以上に重要な意味があったように思われる。森本右近太夫の墨書からそうした「思い」を読み取ることはあながち的外れなことではないと思う。

■参考文献
石澤良昭「アンコール・ワットと祇園精舎」『法華文化研究』第47号，2021
岩下哲典『津山藩』現代書館，2017
清水潤三「アンコール・ワットにのこされた森本一房の墨書について」『史学』第44巻第3号，1972
森本謙三編『森本慶三の生涯と信仰　上』津山社会教育文化財団，1996
中尾芳治「アンコール・ワットに墨書を残した森本右近太夫一房の父・森本儀太夫の墓をめぐって（2）」
『京都府埋蔵文化財論集』第7集，2016

東インド会社のアジア進出と日本

フレデリック・クレインス

　1609 年にオランダ東インド会社は平戸で商館を開設した。その 4 年後の 1613 年にはイギリス東インド会社もまた平戸で商館を設立した。17 世紀初頭におけるオランダとイギリスの日本進出には，ヨーロッパにおける政治的・経済的な国際状況が大きく関係している。両国は日本を特別な戦略的拠点として位置づけていたわけではなかった。それどころか，オランダ東インド会社の上層部からは，日本から撤退すべきであるという意向が何度も出されていた。撤退しなかった要因の一つは，イベリア諸国との競争であった。17 世紀前半における日本と西欧諸国との関係を理解するためには，当時のヨーロッパの状況を把握する必要がある。

アジア進出のきっかけ

　16 世紀におけるアジア貿易はポルトガルとスペインが独占した。ポルトガル人はアジアで貿易ネットワークを築き，毎年香辛料を中心とするアジアの商品をリスボン港に運んだ。スペイン人もフィリピンを中心にアジアの商品をメキシコ経由で本国にもたらした。オランダはスペイン帝国の一地域として，このアジア貿易の枠組みに組み込まれていた。オランダ人はアジアの商品をイベリア諸国で買い付け，それを北ヨーロッパに流通させていた。

　宗教改革時代の最中，スペイン国王による自治権への介入や新教弾圧を嫌ったオランダ人は反乱を起こした。最初は秩序のない抗議活動にすぎなかったが，次第に組織的な独立運動となり，独立を宣言したオランダとスペインとのあいだの戦争へと発展した。このような状況でオランダはスペインとの貿易ルートが閉ざされてしまった。さらに，1580 年にスペイン国

図1　オランダ東インド会社の船団(画像提供　国際日本文化研究センター)

王フェリペ2世（1527〜1598）がポルトガル王位に就くと，ポルトガルとの貿易ルートも断たれ，オランダ人にはアジアの商品を入手する手立てがなくなった。このことは，オランダ人が直接アジアへの渡航を試みる重要な動機の一つとなった。

　ついに1595年に4隻から成るオランダ船団が喜望峰経由でアジアへ渡航し，その2年後に無事に帰還した。この成功がきっかけとなり，以後，数多くの船団がオランダから出帆し，次々とオランダに香辛料をもたらした。1595年から1602年のあいだにオランダからアジアへ派遣された船の数は65隻にも及んだ。これにより，香辛料は供給過剰の状態に陥って，その販売価格は下落し，利益率の低下を招いた。

東インド会社のアジア戦略と日本

　香辛料の価格を一定の高さに保ち，利益を安定させるために，オランダの最高権力機関であったスターテン・ヘネラール（連邦議会）は，それまでアジアに船を派遣していたオランダの関連企業を「オランダ東インド会社」という一つの大きな会社に統合した。この会社はアジア貿易の独占権を与

えられた代わりに，イベリア諸国との戦争をアジアの海域でも継続する使命を帯びた。

すでに1600年にイギリスでは，イギリス東インド会社が設立され，毎年船団を組織的に派遣するようになっていた。イギリス東インド会社が1回ごとの派遣で船団を解散させる形態をとっていたのに対して，オランダ東インド会社は，帰還ごとに船団を解散させず，事業に持続性を持たせる方針をとっていた。また，アジア各地に商館を設立し，派遣した船をそのままアジアに留まらせ，各商館間を往来する任務にも当たらせ，アジア域内の仲介貿易に参入した。

オランダ東インド会社が1602年に設立されアジアに進出した当初，日本は重要な停泊地として位置づけられていたわけではなかった。会社のアジア戦略の中でモルッカ諸島の香辛料および中国の絹製品の獲得が最優先課題であった。そのため，オランダ人は最初にジャワ島のバンテンに拠点を作った。それは，モルッカ諸島の香辛料の産地に近い場所であり，なおかつ中国のジャンク船の寄港地でもあったからである。オランダ人はさらに，中国の絹貿易のために，マレーシア半島東海岸に位置するパタニにも商館を設立した。

また，貿易活動の傍ら，オランダ船は戦争行為の一環としてアジア海域においてポルトガル船にも攻撃を仕掛けようとした。このような行為には，戦争の側面だけでなく，ポルトガルのアジアにおける貿易独占を打ち破る狙いもあった。長年にわたって貿易ネットワークを構築していたポルトガル人に対して，オランダ人はアジア市場へのアクセスが限られていた。それは特に中国貿易において顕著であった。

香辛料と絹製品の獲得およびイベリア諸国に対する戦争行為という二つの任務を遂行していたオランダの諸船に対して，1609年に急遽ヨーロッパからの新たな指示が届いた。戦争で疲弊していたスペインとオランダは，この年に「12年停戦協定」を締結した。その協定には，12年間双方の地点はそのまま保持され，それ以上の拡大は認められないという条項が含まれていた。東インド会社本部は，協定が効力を発する1609年9月1日までにできるだけ多くのアジア諸国と交易協定を結び，商館を設立するよう

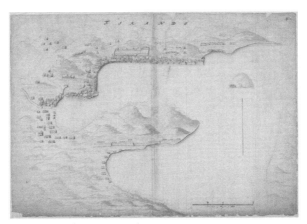

図2　オランダ商館員が描いた平戸の図（1621年，ハーグ国立
文書館蔵）

にとの指示を出した。この指示を受けて，同年に２隻のオランダ船が日本
へ向かい，家康より貿易の許可を得たうえで平戸で商館を設立した。

平戸オランダ商館

　この平戸オランダ商館に商館長として就任したのは，ジャック・スペック
ス（1589〜1652，図3）であった。スペックスは日本との貿易に大きな
期待を寄せていた。しかし，スペックスの期待に反して，それ以降数年の
あいだは，オランダ船がほとんど来航せず，舶載してきた商品も少なかった。
オランダ人は東南アジアでスペイン人と戦っていたので，日本に船を派遣
する余裕がなかったためである。また，前述の通り，当初，日本は東イン
ド会社のアジア戦略における重要拠点でもなかった。

　むしろ，東インド会社の本部は平戸オランダ商館の存続に否定的であっ
た。オランダ人が日本で貿易を行うためには日本市場で需要の大きかった
中国産生糸の輸入が必要不可欠であった。しかし，マカオから日本に生糸
を供給していたポルトガル人と違って，オランダ人は中国における貿易許
可を得られなかった。また，アジア各地で入手できたわずかな量の生糸は，
日本ではなくオランダ本国に送付するように本部から指示されていた。生
糸の仕向け先としては，日本市場販売用として生糸の送付を要請する平戸

図3　ジャック・スペックス(アム
ステルダム国立美術館蔵)

商館はいわば東インド会社本部の競合相手であった。それゆえに，平戸商
館を閉鎖するようにという指示が複数回にわたって本部から出された。そ
の対策として，若きスペックスはオランダ産毛織物の販売やシャムからの
鹿皮や鮫皮の輸入に取り組み，日本商館の運営をやりくりした。

　1613年にイギリス人も平戸に寄港し，その地で商館を設立した。イギリ
スにおいて生産過剰に陥っていた毛織物産業は，危機的状況に立たされて
いた。イギリス東インド会社はこの余剰のイギリス産毛織物の輸出先とし
て日本市場に期待をかけていた。ところが，日本市場はオランダやスペイ
ンによる毛織物の供給ですでに飽和状態であり，利益が出なかった。また，
元々スペインに対する戦争における戦友だった両プロテスタント国は，基
本的に同じ種類の商品売買に携わっていたので，激しく競争することにな
っていった。

　両インド会社の上層部の方では相互の協力体制を作る試みが行われたが，
現地では武力衝突が絶えなかった。1618年にイギリス人がジャワ人と共に
ジャカルタにあったオランダの拠点を襲撃したが，反撃して勝利をおさめ
たオランダ人は，その拠点をバタヴィアと命名し，以後，東インド会社の
アジア本部として機能させた。1623年には，アンボイナでオランダ人が同

地にいたイギリス人と日本人傭兵を捕らえて処刑するという「アンボイナ事件」が起こった。この事件は，彼らが反乱を起こすかもしれないという根拠のない疑惑をオランダ人が抱いたことが発端だった。この事件を契機にオランダ人に対するイギリス人の反感が強まり，以降に両国間が敵対関係となる引き金となった。一方，日本では，オランダ人との激しい貿易競争のために，平戸イギリス商館は利益を出すことなく同年に閉鎖された。

　その翌年の1624年にオランダ人は台湾の占領を通じて中国産生糸を入手できるようになった。これにより平戸オランダ商館への生糸の供給が確立し，特に1630年代になると，日本への輸出量が大幅に増加していった。イベリア諸国の影響力を排除しようとした幕府は生糸の輸入量を維持できることを何度もオランダ人に念を押して確認したうえで，1639年にポルトガル人の来航を禁止し，1641年に長崎でポルトガル人を監視するために築造していた出島にオランダ商館を移転させた。こうしてヨーロッパの国として日本貿易を独占したオランダは，以後30年ほどのあいだ，日本からアジアの中継貿易に必要な銀や銅を得た。しかし，1670年代より日本の自給自足政策に伴って幕府が貿易制限を徐々に強化し，東インド会社のアジア貿易の中で日本の重要性は次第に低下し，象徴的な位置づけとしてのみ維持される存在となっていった。

■参考文献
クレインス, フレデリック『十七世紀のオランダ人が見た日本』臨川書店, 2010
クレインス, フレデリック『ウィリアム・アダムス：家康に愛された男・三浦按針』ちくま新書, 2021
永積洋子・武田万里子『平戸オランダ商館イギリス商館日記：碧眼のみた近世の日本と鎖国への道』そしえて, 1981
羽田正『興亡の世界史15　東インド会社とアジアの海』講談社, 2007

海賊の黄金時代

藤村 泰夫

　海賊と聞いて，高校生たちが思い浮かべるのは，アニメ「*ONE PIECE*」に登場する海賊たちであろう。彼らに聞いてみると，次々と海賊の名が出てくる。そこで，生徒に「その中で実在の海賊はいるのか」と聞くと，生徒はまさかという顔をして黙りこくってしまう。

　ロロノア・ゾロや黒ひげ，ジュエリー・ボニー，アルビダなどは実在の海賊をモデルにしていると話すと驚きの声が上がる。また映画「*Pirates of the Caribbean*」をすべて見たという生徒には，「あの話はいつ頃の話か」と聞くと，大抵は答えられない。

　中学生の頃，私も海賊映画を見るたび，「いつ頃のことだろう。なぜ，学校では教えてくれないのだろう」と不思議に思ったものである。しかし，その状態は今も変わらない。試みに「*Pirates of the Caribbean*」の舞台となっている18世紀のカリブ海や西インド諸島に関する内容を世界史の教科書で見てみると，そこには奴隷貿易を含む三角貿易や奴隷によるプランテーションでの砂糖生産についての記述はあるものの，「カリブの海賊」については1行すらない。あれだけ映画で描かれているのだから，実在したことはまぎれもない事実なのに，である。そこで，本項では，「海賊の黄金時代」といわれた17世紀から18世紀前半にかけて活躍した，3人の名だたる海賊たちと彼らが生きた時代を見ていくことにする。

▌副総督になって，ベッドの上で往生したヘンリー・モルガン

　ジャマイカの名産品のラム酒（さとうきびから作った酒）の銘柄にCaptain Morganがある（図1）。その名は，17世紀後半，新大陸のスペイン領を襲撃し，莫大な財貨を略奪した「カリブの大海賊」ヘンリー・モルガンから

図1　ラム酒「Captain Morgan」
／ディアジオ ジャパン株式会社

来ている。イングランド領ジャマイカのポートロイヤルは，一獲千金を夢見る雑多な人種や民族が集まる「海賊のバビロン」の異名を持っていた。モルガンは，そのポートロイヤルを根城に，大船団を率いて新大陸のスペイン領のマラカイボやパナマなどを襲撃した。

　クロムウェルの西方計画で獲得したジャマイカではあったが，ヒスパニオラ島（イスパニョーラ島）など周囲をスペイン領に包囲され，いつ何時，襲撃されるかわからない危険な状況にあった。

　そこで，ジャマイカ総督のモディフォードはモルガンに，戦時中ならば敵国の船の拿捕や略奪が許される私掠船特許状を交付し，スペイン領を公然と襲撃させた。モルガンは，新大陸のスペイン領の住民を脅して金銀財宝を略奪し，ポートロイヤルに持ち帰って換金した。当時のポートロイヤルは，カリブ海におけるイングランド領最大の都市で，人口は7000人以上を数え，4階建てのロンドン風の建物が軒を連ねていた。

　1670年，イングランドは，スペインと平和条約を締結し，スペインはジャマイカを含むイングランドのアメリカ領有を認め，両国の間でカリブ海での海賊行為の取り締まりを決めた。そのため，モルガンと彼の支援者のモディフォード総督は，イングランド本国に移送され，収監されたが，モ

ルガンは起訴されるどころか，騎士の称号を与えられ，海事裁判所の判事として海賊たちを取り締まることを命ぜられた。その後，ジャマイカの副総督に就任し，ジャマイカの名士となった。そして，彼は絞首台の上ではなく，1688年，ベッドの上で大往生を遂げた。その日，ジャマイカでは弔砲が撃たれたという。

　彼らのように，私掠船特許状を交付されて，スペイン船やスペイン領を襲撃する海賊のことを「バッカニアー」と呼ぶ。イギリスとスペインの和平条約でカリブ海を追われた「バッカニアー」たちは，足を洗って農場主やメキシコ沿岸でログウッドという染料材の伐採人になった者もいるが，その一方で中米の太平洋岸や東インド貿易でにぎわうインド洋に獲物を求めて海賊稼業を続ける者もいた。

■キャプテン・キッドの数奇な運命

　ここに1枚の肖像画がある（図2）。どう見ても海賊には見えない。どちらかといえば，法律家，商人だろうか。何を隠そう，この肖像画の人物こそ，大海賊キャプテン・キッド（1645？～1701）である。

　彼は1655年頃，スコットランドの牧師の家に生まれ，青年期には，西インド諸島に渡り私掠船の船長として名声を獲得し，その後，ニューヨーク在住の金持ちの未亡人と結婚して裕福な商人として暮らしていた。1690年代の北米のイングランド植民地は，本国の貿易統制下にあり，人々は高関税をかけられた商品を買わされていた。そうした所にカリブ海を追われた海賊たちが，植民地総督にわいろを払えば，入港を許されるという噂を聞きつけ，続々と集まり出した。彼らは，東インド会社の商船やムガル帝国やアラブ人の船を奪って手に入れた香辛料，絹織物，綿織物を関税無しで北米の植民地住民に売却し，歓迎された。中には，ニューヨークのフィリップス家のように，海賊たちが根城にしているアフリカのマダガスカル島に赴き，火薬や酒などと，略奪品や黒人奴隷とを交換して巨利を貪る商人も現れた。

　植民地の若者たちは，一旗あげようとインド洋に赴いた。彼らの行動を「海賊周航」という。彼らの内，ヘンリー・アヴェリーのムガル帝国の巡礼船

図2　ウィリアム・キッド／Alamy

襲撃は，ムガル皇帝アウラングゼーブを激怒させることになった。その結果，皇帝はイングランドのインド進出の要衝スラト商館を没収して，商館員を投獄した。

　このことを重大視したロンドンの東インド会社本部は，国王に海賊退治の船のインド洋派遣を要請した。北アメリカ植民地の現地総督・商人と海賊の関係については，本国政府でも問題視されていたため，国王ウィリアム3世以下，ウィッグ党の政府高官は，私掠船長として名高いニューヨーク市民のウィリアム・キッドに海賊退治を委任した。しかし，折しも九年戦争の真最中で，ロンドンを出発したキッドの船はテムズ河口で，海軍の強制徴募にあい，有能な船員を引き抜かれたため，新たに，海賊と思しき輩を雇い入れて，インド洋へ向かった。お目当ての海賊船は，容易には見つからず，船員たちの不満は募るばかり，更に長い航海につきものの壊血病にも悩まされ，キッドは，身の危険を感じ，とうとう，アルメニア商人の船を拿捕して，船員の不満を解消した。

　これに味をしめたキッド一行は，海賊に転身してインド洋を荒らしまわった。彼の所業は，本国にも伝わり，政府高官の後ろ盾を頼りにニューイングランドへ帰ってきたキッドは，即刻逮捕され，イングランド本国で，

裁判の後，海賊行為と船員を 1 名，殺した罪状で処刑された。その遺体は鉄製の人型の籠に入れられ，テムズ下流に吊るされ，沖合を通る船への見せしめにされた。「海賊周航」は，北米のイングランド植民地にとっては，繁栄をもたらしたものの，一方で，イングランドの東インド貿易に損害も与えたため，次第にイングランド政府は彼らが「獅子身中の虫」であることに気がつき始め，撲滅の方向へ動いた。

海賊の黄金時代と終焉

「カリブの海賊王」の名をほしいままにした海賊といえば，黒ひげティーチ（？～ 1718）が第一にあげられるであろう。帽子の先に火縄をつけたおどろおどろしいいでたちで現れる黒ひげにカリブ海や大西洋を航行する商船は恐れおののいた。ティーチは，1701 年に始まるスペイン継承戦争中は，私掠船の乗組員であったが，1713 年のユトレヒト条約以降，バハマ諸島のニュープロヴィデンス島を根城にしてすべての国の商船を略奪する海賊たちに加わり，その中で頭角を現した。

1716 ～ 1726 年に跋扈した海賊たちの総数は，レディカー氏によれば，約 4000 人を数えた。当時最大の人口を持つニューヨークの人口が 1 万8000 人だったことから考えても，多い数字であり，商船を恐怖に陥れていたかわかるであろう。彼らの多くは，スペイン継承戦争中には私掠船や海軍の船員であった。戦後失業してからは，商船の船員になるか，戦争中と同じ稼業を続けるか，選択を迫られた。薩摩真介氏は，海賊が急増した理由を，私掠船や海軍の水夫の失業と商船の劣悪な労働環境に求めている。中でも商船の乗組員たちは，低賃金のもと横暴な船長に支配され，重労働を課されていた。そうした折，海賊に拿捕されるや否や，海賊集団に加わる者が続出したのである。こうした海賊の増加に手を焼いたイギリス政府は，投降すれば罪を許すという特赦令の発布，根城としていたニュープロヴィデンス島の占領，海軍の増強など，あらゆる手段を使って海賊の根絶に乗り出し，1730 年までに息の根をとめることに成功した。

┃「海賊の黄金時代」を学ぶ意義

　これまで見てきたように，海賊の歴史を学ぶことは，イングランドがグローバルに展開する植民地争奪戦や北米植民地に対する貿易統制の歴史を学ぶことになり，ひいては，グローバルな視点から歴史を見る思考力を養うことにもなる。これだけの意味を持ちながら，今日，海賊が教科書等に取り上げられない理由は，依然として海賊を，歴史的存在として見ていない歴史教育の状況が関係しているように思われる。

■参考文献
笠井俊和「海賊の息づく港町ポート・ロイヤル」和田光弘他『歴史の場』ミネルヴァ書房，2010
コーディングリ編『図説　海賊大全』原書房，2000
薩摩真介『〈海賊〉の大英帝国』講談社選書メチエ，2018

17世紀の手紙とグローバルな場に生きた日本女性たち

白石 広子

　17世紀，バタヴィア（カラパ，ジャガタラとも称す。現インドネシア・ジャカルタ）から日本行きの唐船，オランダ船に託した高価な贈り物と共に，日本語で書かれた女性たちの手紙がある。6通が確認され，その内の3通は平戸オランダ商館に展示され，1通は平戸松浦資料館に展示されている。残りの2通は原文を確認できず写しのみ残っている。内容は自身のバタヴィアでの生活と贈り物を渡す相手や，品々の詳細である。品々は特に綿布や絹織物が多い。その産地は多岐に渡り，当時のグローバルなモノの流通を知ることができる。

　バタヴィアから贈り物や手紙を送った女性たちは，何故バタヴィアに住むことを余儀なくされ，どのような世界で生きていたのか。17世紀初頭，長崎は既にポルトガル，スペインの交易に付随した布教によりキリスト教が蔓延し，訪れたヨーロッパ人を父とする多くの子供も誕生していた。幕府のキリスト教への忌避感と禁教政策は厳しさを増し，1636（寛永13）年ポルトガル人，スペイン人（南蛮人＝旧教国）を父とする子供，南蛮系の男女287名をポルトガル領のマカオに放逐した。続いて比較的取り締まりが寛容であったオランダ人，イギリス人（紅毛人＝新教国）を父とする子供やその日本人母親など33名も，1639（寛永16）年バタヴィアに追放した。その中に「はる」という15歳の少女がいた。海外への渡航禁止，海外からの帰国禁止は既に発令されていたが，この措置で完全に国を出ることも帰ることも不可能となり，いわゆる「鎖国」が完成した。

　バタヴィアはオランダ連合東インド会社（VOC）のアジア統括本部が置かれ，総督府政庁が貿易を統括し，市参議会がバタヴィア市を運営していた。「はる」たちがバタヴィアに辿り着いた頃，朱印船貿易や様々な理由で住み着いた100名位の日本人がいた。先述した6通の手紙の他に，天文地理学者として長崎で活躍し

た西川如見が,「はる」の書いたとする手紙を「じゃがたら文」として『長崎夜話
艸』(1719年刊行)で紹介した。しかしこれは西川如見の偽作であると考えられる。
如見の「じゃがたら文」により,祖国を追われ蛮夷と称された僻地に流された哀
れな「はる」像は,昭和初期まで人々の中に定着した。筆者は8年間ジャカルタ
に住む機会があり,「はる」たちが居住したバタヴィア城の地域を幾度も散策した。
そこはオランダ風の建物が並び,街路には緑豊かな樹々がそびえ,当時としてヨ
ーロッパの香り豊かな都市であり,僻地であったとは思えない。情報不足が生ん
だ悲劇の女性像が,独り歩きした流伝と考えられる。当時のバタヴィアは少数の
ヨーロッパ人とアジア島嶼部出身者,中国人など多様な住民から構成されていた。
特にヨーロッパ人を父とするアジア系女性が,社会を統合する重要な働きをして
いたことが確認されている。

　実際の「はる」の手紙や残存する史料などの調査から,移住日本人女性の多く
はVOCの上級職員と結婚し,夫亡き後は自ら経済活動に従事し,貧民への寄付を
含む遺産の分配まで記した遺言書を書いている。「はる」も平戸生まれの日系オラ
ンダ人で後にVOCの幹部となって活躍するシモンスと結婚している。彼は会社を
辞めた後は船を持ち,貿易業を営んでいた。夫亡き後「はる」は自身で貿易業を
引き継いだと推測される。筆者は「はる」の「貯金利子請求」と「家屋売買」に
関するオランダ語の公正委任状2通を,インドネシア国立文書館で発見するに至り,
「はる」がかなりの資産を形成していたことも判明した。移住日本人女性たちは生
きる為に多様な人種と交流し,コミュニケーションに励む必要があった。バタヴ
ィアは国家,国境,国民という概念を越えて,多民族が相互に結合し依存する世
界であり,女性たちが活躍できる場でもあった。「はる」を始めとする日本人女性
たちは,日本人としての属性に拘らず,異文化交流の担い手となり,生活者とし
て根を下ろしていたのである。

■参考文献
岩生成一『続南洋日本町の研究』岩波書店, 1987
島田竜登「会社の作った都市バタヴィア:オランダ東インド会社時代1619-1799年」村松伸・島田竜
登・篭谷直人編『歴史に刻印されたメガシティ』東京大学出版会, 2016
羽田正『グローバル化と世界史』東京大学出版会, 2018
弘末雅士『東南アジアの港市世界』岩波書店, 2004

第 3 章

18世紀の世界

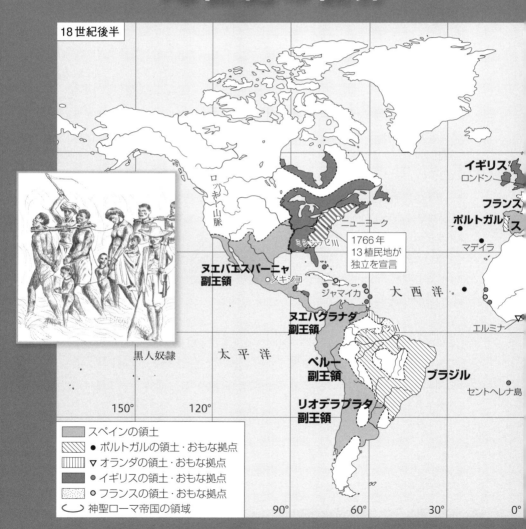

18世紀後半

イギリス
ロンドン

フランス
ポルトガル
ス

マデイラ

ロッキー山脈

ニューヨーク

1766年
13植民地が
独立を宣言

ミシシッピ川

ヌエバエスパーニャ
副王領

メキシコ

ジャマイカ

大 西 洋

ヌエバグラナダ
副王領

エルミナ

ペルー
副王領

ブラジル

黒人奴隷

太 平 洋

リオデラプラタ
副王領

セントヘレナ島

150°　　　120°

90°　　　60°　　　30°　　　0°

スペインの領土
● ポルトガルの領土・おもな拠点
▽ オランダの領土・おもな拠点
● イギリスの領土・おもな拠点
○ フランスの領土・おもな拠点
神聖ローマ帝国の領域

大黒屋光太夫

オランダ

スウェー
デン

ロシア帝国

サンクトペテルブルク

シベリア

プロイセン
オーストリア

パリ

スペイン

地中海

イスタンブル

オスマン帝国

ニジェール川

ナイル川

アラビア
半島

ムガル
帝国

チベット

北京

清

朝鮮

日本

マラータ同盟

ボンベイ

ゴア

カリカット

ポンディ
シェリ

シャム

大越

マカオ

長崎

琉球

フィリピン

太平洋

セイロン

インド洋

バタヴィア

60°

30°

30°

0°

モザンビーク

マダガスカル島

ケープタウン

30°

30°

60°

90°

120°

150°

105

世界の構図の転回

杉山 清彦

　18世紀——帝国が並び立ち，君主が覇権を競いあう中で幕を開けたこの世紀は，工場からの煤煙が空にたなびき，革命の喧噪がこだまする中で幕を閉じる。工業化・市民社会の本格展開こそ次の世紀を待たなければならないが，この100年の間に世界の各地域は互いに連関・影響しあいながらそれぞれ個性を深め，政治や経済，信仰や生活文化などさまざまな面で現代にもつながる基礎が形づくられた。

帝国と君主の時代の絶頂と変容

　18世紀が幕を開けたときの世界を見渡してみよう。アフロ・ユーラシア大陸には，東から大清，ジュンガル，ムガル，サファヴィー，オスマン，ロシア，ハプスブルクといった諸大国が並び立っていた。これらは，核となる宗教や集団・組織に支えられた君主のもと，多種多様な言語・信仰・生業・習俗をもつ人びとを束ねる広域の政治体——帝国であった。さらにその東西では，日本やイギリス，フランスが次第に凝集力を高めて，こんにちにつながる姿を整えつつあった。

　16～17世紀の世界的な貿易の過熱と凝縮，社会の流動化と動揺——例えば，大航海時代から「17世紀の危機」へという転回——を克服したこの時期の諸国は強力な求心力や強固な組織力を誇っており，頂点に立つ君主がその力を行使した。1700年に在位していた大清の康熙帝（1654～1722），ムガルのアウラングゼーブ（1618～1707），ロシアのピョートル1世（1672～1725），フランスのルイ14世（1638～1715）といった強烈な個性とリーダーシップをそなえた指導者たちがそうであり，わが国の将軍徳川綱吉（1646～1709）も，その列に加えることができるであろう。

　同時に，ユーラシア大陸の乾燥域に本拠や源流をもつ帝国がそのままの形では維持できなくなり，沿海域の人口稠密地帯に歴史の主軸が移ってきたのがこの時代であった。世紀の終わりを見渡すと，サファヴィー・ジュンガル両帝国が姿を消し，ムガルは地方政権に転落して帝国と呼べる実体を失っていた。他方で，元来モンゴル帝国の系譜を引きながら，次第に軸足を東アジアやヨーロッパに移すようになった大清・ロシア両帝国がユーラシア内陸域の分割を進めており，こん

にちの中国・ロシアの原
型が姿を現した。オスマ
ン帝国も，外征と軍人の
時代から内治と官僚の時
代への転換が進み，後期
オスマン帝国へと脱皮し
ていた。

図1　大清皇帝の離宮・承徳避暑山荘の多言語門額
（2004年，著者撮影）　右から満洲文字満洲語，チベット文字チ
ベット語，漢字漢語，アラビア文字トルコ語，モンゴル文字モン
ゴル語。帝国の多様性を示す。

　武人から官僚へ，武勲
から文運へ――そのよう
な担い手と価値観の転換
は，戦国遺風の残照というべき元禄赤穂事件（1701〜1702）で幕を開け，宝暦・
天明文化から化政文化へという爛熟の中で次世紀を迎えたわが国も，歩調を同じ
くしていたといえよう。

主権国家・国民国家の形成と拡散

　この時代のもう一つの動きとして，帝国とは異なる国家形態が成長していた。

　ヨーロッパでは17世紀以降，互いに対等で，有限の国土に至高の権力を及ぼす
主権国家が形成され，これが並び立つ国際関係が展開した。17・18世紀段階では
王朝原理で動いていたため，領域・住民の範囲は戦争・条約や君主の婚姻・相続
などによって常に組み替わる可塑的なもので，近世主権国家とも呼ばれる。世紀
の初頭，1702年にイングランドが国王ウィリアム3世（1650〜1702）の死によ
ってオランダとの同君連合を解消する一方，1707年にはスコットランドと合同し
て連合王国が成立し，それが1714年に今度は神聖ローマの領邦ハノーファーと同
君連合を組むという目まぐるしい転変は，その典型例である。

　これを次のステップに進めたのが，世紀をまたぐフランス革命からナポレオン
戦争（1789〜1815）という激動であった。その過程において，正規の構成員を「国
民」と位置づけて権利と義務を課し国力を引き出す国民国家（ネーション・ステ
ート）が登場する。国家は，君主のもとに集積され常に形を変えるモザイク状の
集合体から，歴史的一体性・文化的同質性に裏づけられた不可分の国土・国民の
強固な塊（と観念されるもの）へと変わっていったのである。

　君主・貴族といった旧来の支配層に代わってその担い手となったのは，この間
に力量を向上させた有産の名士・民衆層であった。「市民」と呼ばれるか否かにか
かわらず，その層の厚みや存否が，世界の各地で次の時代の明暗を分けてゆくこ

図2　間宮海峡とカラフトの海岸（2011年，著者撮影）　北方探査を行なった幕吏間宮林蔵が1809年に確認した海峡と上陸した海岸。

とになる。

　はからずも，このような趨勢に適応するような変貌を遂げていたのが日本であった。江戸の徳川政権は，17世紀に琉球を含めてほぼ支配領域を確立させるとともに，出入国規制と沿岸防備を徹底して対外関係管理体制を構築し——いわゆる「鎖国」

——，そのもとで列島内部の緊密化と均質化が進行したのが18世紀であった。対外交流の制限下で形づくられた一国規模の経済と文化，それを共有して育った上層町人・農民，中下級武士層は，次代の変動の基盤となる。

　境界が比較的曖昧だった北方においても，18世紀後半にはロシアとの接触の中で蝦夷地の経営と調査が進み，版図意識が明確化してゆく。1798年に，幕命で北方を探検した近藤重蔵（1771～1829）と最上徳内（1755～1836）がエトロフ島に「大日本恵土呂府」という標柱を立てたことは，世紀末の世界情勢と人びとの観念を象徴している。かくて日本列島で次第に形成されたプロト国民国家が，19世紀に舶来の国民国家という形態と出会うことになるのである。

貿易の変貌と新たなプレーヤーの登場

　経済に目を移そう。17世紀には，国際商業の花形は香辛料，生糸・絹織物，陶磁器といった奢侈品で，茶はまだヨーロッパでは薬種か珍奇な嗜好品とみなされていた。取引の主な担い手は，王権や政府と結びついた特権的商人や東インド会社などの特許会社であった。

　そのような状況の地殻変動が進んだのが18世紀であった。貿易品目は安価で大量に運ばれる食糧・衣料品・消費財にシフトしていき，前世紀には贅沢品だった茶，砂糖，綿織物は日用品化して（コモディティ化），アジア・ヨーロッパ間貿易の大宗を占めるようになった。またそれゆえ，アジア物産の輸入依存・貿易赤字からの脱却が諸国で求められることになり，日本で生糸・絹織物や砂糖，ヨーロッパでは綿織物や陶磁器の国産化の努力が重ねられ，産品の「脱亜」が果されていく。

　アジア物産からのイギリスの経済的自立を支えたのは，大西洋の向こうのアメリカ大陸・カリブ海とそこに移入された黒人奴隷であり，また畜力に代わる化石燃料というエネルギー源であった。それらの存廃や争奪が，19世紀の歴史の一動因となってゆく。

　担い手の面では，特権と独占の時代が終わりを告げる。それを象徴するのが，1799年のオランダ連合東インド会社の廃止であった。イギリスでも東インド会社の独占が批判にさらされ，アジア域内貿易を営む民間商人（カントリー・トレーダー）が主役に躍り出てゆく。政治のトレンドがゆるやかな帝国的統合から凝集力ある主権国民国家へと移っていったのに対し，経済においては，国家の関与や干渉を排除して自由と競争を標榜する方向へとベクトルが働いたのである。

　政治・経済双方に関わるもう一つの重要な変化が，アフロ・ユーラシア大陸以外の勢力が初めてプレーヤーとして現れたこと——アメリカ合衆国の登場である。同時期にオーストラリアも歴史に姿を現して五大陸が出そろい，アメリカと太平洋を抜きにはできない，こんにちにつながる世界の構図が形づくられた。そしてその流れの先に，日本の開国が待っていることは言を俟たないであろう。

■　■　■

　このように18世紀は，政治や国際関係でいえば，広大で不均質な地域・領民を糾合する帝国と君主の時代から，有限の領域・成員を確実に掌握する国民国家と国民の時代への移行の起点となった。経済・貿易の面でいえば，権力と「結びつき，囲いこむ」特権・保護・独占の時代から，さまざまなアクターが「つながり，競いあう」自由と競争の時代への移行が起こった。地理的に見渡すならば，ユーラシア大陸の内陸域から沿海域へと歴史の主軸が移動し，くわえてアメリカの登場によって，次代の主要なプレーヤーが出そろった。

　幕藩制が続いた日本は，このような動きの中では一見変化に乏しいように思われるかもしれないが，水面下では構造の変化が進んでおり，はからずも国民と国民経済が準備されつつあった。海外との人の直接交流こそ厳しく制限されていたが，それは退嬰的姿勢というよりは政権の強力な意志と実力による統制であり，知とモノの往来は，むしろ質・量ともに目をみはるものがあった。その「つながり」のさまを，本章の各節で見てゆくこととしたい。

■参考文献

上田信『中国の歴史9　海と帝国』講談社学術文庫，2021（初版2005）
岡田英弘編『別冊環16　清朝とは何か』藤原書店，2009
近藤和彦『世界史リブレット114　近世ヨーロッパ』山川出版社，2018
羽田正『興亡の世界史15　東インド会社とアジアの海』講談社学術文庫，2017（初版2007）
杉山清彦主編「すみわける海　1700-1800年」羽田正編『東アジア海域に漕ぎだす1　海から見た歴史』東京大学出版会，2013

日本の蘭学・洋学の誕生

シドッチの日本潜入と新井白石・将軍吉宗の海外研究

岩下 哲典

シドッチ発見

　2014年7月東京都文京区のキリシタン屋敷跡地で人骨が発見された。DNA鑑定の結果，ヨーロッパ人の可能性が高まった。その後，文京区が国立科学博物館に依頼して，頭骨から復元した立体復顔像が2016年11月に公開された。その復顔像は，確かに，46歳でキリシタン屋敷の地下牢で病死したイタリア人ジョバンニ・バチスタ・シドッチ（1668～1714）のように思えてくる。

　シドッチは，1668年シチリア島に生まれた。イエズス会士となりマニラ

図1　今村源右衛門英生肖像（今村英明氏蔵）

で日本語を学び，1708 年，日本の宝永 5 年，5 代将軍綱吉（1646 〜 1709）の晩年に，ローマ教皇クレメンス 11 世（1649 〜 1721）の使節・宣教師として大隅国（鹿児島県）屋久島に上陸した。シドッチの目標は，日本人を一人でもキリシタンにして洗礼を施す，伝道だった。シドッチは月代を剃り，日本の着物を着て，日本刀を差していたが，すぐに捕縛された。鹿児島を経由して，長崎に護送され，長崎奉行所で尋問を受けた。

　シドッチはイタリア人であるが，宣教師だったため，当時の学術用語ラテン語が話せた。長崎のオランダ商館員のなかにもラテン語が話せる者がいた。最初は，シドッチ⇄オランダ人商館員⇄日本人オランダ通詞⇄長崎奉行所役人というルートで尋問が行われた。つまり，ラテン語・オランダ語・日本語で意思疎通を行った。そのうちオランダ通詞の今村源右衛門はラテン語を修得し，オランダ商館員の仲介がいらないほど会話が上達した。

　「二十四箇条」という史料は，幕府が作成して長崎に送り，シドッチ尋問の際に利用したもので，24 箇条の尋問とその回答を記したものである。シドッチは，この 24 箇条のなかでただ 1 箇条，今後シドッチのような伝道者が来日するのかどうか，という尋問に対して全く答えていない。このため，シドッチは江戸に護送され，6 代将軍家宣（1662 〜 1712）の側近で儒者の新井白石（1657 〜 1725）のさらなる尋問を受けることになった。その場所が，現在の文京区小石川のキリシタン屋敷跡地だった。

▍新井白石とシドッチ

　キリシタン屋敷は，もともと幕府のキリシタン禁令を主導した大目付井上政重（初代宗門改役）の下屋敷で，1643（寛永 20）年に日本に潜入した宣教師らを収容した牢屋敷であった。ここで都合 4 回の白石による尋問が行われた。もちろん今村通詞を介してである。

　白石はその内容をもとに『西洋紀聞』を著した。江戸時代中期の出色の海外事情書で，上巻では 35 か国の地誌と情報が収録されている。『西洋紀聞』ののちに白石が著した『采覧異言』は 81 か国が収録されている。また，江戸後期には，土浦藩士山村才助（1770 〜 1807）によって『訂正増訳采覧異言』が刊行され，岸和田藩医にして幕府の蕃書和解御用小関三英（1787 〜

1839）なども山村の本を利用したので，影響力としては『采覧異言』のほうが大きいかもしれない。ただ『西洋紀聞』が，直近の1701年からのスペイン継承戦争の情報を収録していることは興味深い。白石はシドッチに最新のヨーロッパ情勢を要求し，シドッチもそれに応じたのである。また下巻では，シドッチの出自・教育，キリスト教の東漸と布教，教会史などを扱っている。それもカトリックのみならず，オランダの新教やイギリス国教会などプロテスタント各派にも目配りがきいている。しかし，白石は西洋技術の優秀性は認めつつもキリスト教は仏教の亜流として批判した。このことは，その後の日本人の西洋文明への対応を決定づけたと言ってよい。幕末の佐久間象山（1811〜1864）の提唱した「東洋道徳，西洋芸術」にまで続く，否，明治期の「和魂洋才」や現代にまで続く対外思想の源流と言っても過言ではない。

　なおシドッチは，白石の献策で，すぐに処刑されず，助命がなった。キリシタン屋敷で終身禁固となったが，牢の世話係の老夫婦，長助・はるに洗礼を施したことが発覚した。このため，地下牢に移されて病死し，屋敷内に埋葬された。それが2014年に発見され，2016年復顔像になった。一人でも洗礼を施すというシドッチの目標は確かに達成された。いわゆる「鎖国」時代の最後の潜入伝道者の死であった。

▍享保の改革の第一政策は国産人参栽培だった？！

　ところで，シドッチがもたらした海外情報のなかに，イタリアでは朝鮮人参を見たことがなく，薬用として使ってはいない，というものがあった。戦国時代から朝鮮人参は戦傷治療後の回復薬として重宝された。江戸時代初期には朝鮮王国との国交樹立後，万能薬人参は，対馬藩が独占的に販売するシステムになっていた。対馬藩の価格操作によって人参は高価な輸入品として取引されていた。そのため，為政者としては，ヨーロッパから輸入できるならばオランダ商館を通じて入手したいと考えていたが，それは難しいというのがシドッチ情報。この情報は重要だった。

　ヨーロッパからの人参輸入が期待できないとすれば，あとは国産化しかない。この難題に挑戦したのが8代将軍吉宗（1684〜1751）だった。吉宗

図2　朝鮮人参／アフロ

は，1718（享保3）年には対馬藩に人参に関する問い合わせという圧力を
かけながら，対馬藩の蘭学者に対して，朝鮮王国が国外持ち出しを禁じて
いる人参の種を朝鮮半島から持ち出すことを命じたのだ。つまり密輸をさ
せたのである。そして，幕臣や本草学者に全国的な薬草調査を綿密に行わせ，
人参栽培の適地を探させた。その結果を受けて，下野日光や信州佐久で栽
培が行われた。日光で増産が可能となり，さらに尾張や会津，松江の各藩
にも日光産人参を「御種人参」として下賜した。それらの藩は一所懸命に
栽培してさらなる増産を目指した。こうした様子は，19世紀に幕府儒者林
述斎が享保の改革の第一の眼目は朝鮮人参の国産化と増産だったと言うほ
どであった。

　また吉宗の関心は，本草学のみならず，アラビア馬にも向けられた。こ
れはサラブレッドのことで，在来種である日本の馬種改良を目的としたも
のだ。今日，千葉県流山市には，かつての幕府牧場跡に「オランダ様」と
呼ばれる馬頭観音が祀られている。輸入アラビア馬の供養碑であることは
間違いない。

　さらに，吉宗の関心はベトナム産のアジア象（中野の旧犬小屋で飼育），ビ
ールや西洋の刑法（公事方御定書編纂の参考）にまで及んだ。そのため吉宗
の時期のオランダ通詞は，オランダ商館に将軍の注文品を伝達する御内用
方が置かれていた。それを勤めたのが，白石とシドッチをラテン語で仲介
した今村源右衛門であった。「内通詞」という通訳としては下位の立場だっ
た今村は，通詞仲間の最高位「大通詞」にまで出世した。

吉宗と啓蒙専制君主フリードリヒ2世の目指したもの

　吉宗の時代，西洋文物を最高権力者吉宗が欲したことから，それらを輸入することに障壁はなくなった。漢訳洋書輸入の緩和は吉宗の性向がもたらした必然的な政策であった。青木昆陽や野呂元丈の蘭学学習も吉宗の性向のなせる業である。吉宗の享保の改革では，全体として西洋文物の受容が民衆支配の政治手段としていかに機能したかが重要である。

　民生たる朝鮮人参の国産化は最も重要で，日本の馬種改良としてのアラビア馬輸入や庶民の娯楽としての象の江戸下り，墨田川や飛鳥山・御殿山の桜の植樹なども民衆を支配するうえで極めて重要施策だ。その背景には，蘭学などの学問的営為があった。

　吉宗は18世紀後半のプロイセンの学問好き啓蒙専制君主フリードリヒ2世（1712〜1786）と対比できる。フリードリヒの目指したものは，「公共の福祉」にもとづく警察国家であり，重商主義による経済政策である。吉宗の目的とするところも「公共の福祉」であり，百姓一揆に対しては断固たる対応をした。ただし，重商主義ではなく，米価調節と農業を重視し，農業からの租税に頼る重農主義であった。重商主義はむしろ，吉宗の次代の田沼意次（1720〜1788）だ。

　実は田沼は吉宗との関係が強い。そもそも吉宗は紀州藩主から将軍になったが，その際，紀州藩から連れてきた家臣のなかに田沼意次の父親がいた。意次は吉宗の西洋への傾倒を継承し，さらに農業から商業に課税して，外国貿易も模索したのである。そうした時代の雰囲気が，蘭学・洋学をさらに発展させた。田沼時代に前野良沢（1723〜1803）が翻訳し，杉田玄白（1733〜1817）が出版を推進した『解体新書』が刊行されたのは必然だ。民生に役立つ西洋学術を普及させても幕府のお咎めはない。実に大きなことであった。田沼以降，シーボルト事件や蛮社の獄など蘭学者が弾圧された事件はある。しかし，蘭学者が根絶やしにされるようなことはなかった。むしろ，幕府天文方に蕃書和解御用が置かれ，フランス人ショメールの実用辞書のオランダ語版からの翻訳が恒常的に行われ，『厚生新編』と名付けられた。「厚生」は民の生活を豊かにすることであり，西洋学術の研究は民政のため，「公

共の福祉」の増進のために存在したことを物語る。

　新井白石によって決定づけられた洋学受容は実学重視であり，それを一歩進めたのが吉宗で，さらに交易まで視野に入れて推進しようとしたのが田沼である。それら一連の対応が西洋啓蒙専制君主の在り方と似ていることはこれまで指摘した通りである。日本が独自の近代化を行い得た源流がそこにあり，かつまた，西洋の植民地化を免れた要因もまたそこにある。

　なお，「屋久島シドッティ記念館設立実行委員会」が設立され，記念館の設立が計画されている。また，ローマ教皇庁によるシドッチの列福調査も開始された。

■参考文献
岩下哲典『権力者と江戸のくすり』北樹出版，1998
大石学『享保改革の地域政策』吉川弘文館，1996
笠谷和比古『徳川吉宗』ちくま新書，1995
篠田謙一『江戸の骨は語る 甦った宣教師シドッチのDNA』岩波書店，2018
田代和生『江戸時代朝鮮薬材調査の研究』慶應義塾大学出版会，1999

漂流民がもたらした日露交流

濱口 裕介

　北海道の東端に位置する根室市を訪れると，街の至るところにロシア語の標識や看板が掲げられているのが目に入る。北方領土と海を隔てて向き合うこの地は，日露間の交流が最も活発な場所のひとつであり，しかも1792（寛政4）年にロシア初の公式遣日使節ラクスマン（1766～?）が来航した場所でもある。日露交流の原点ともいえる場所なのだ。

　ところで，現代でさえ市内のロシア語標識を読める人は決して多くない。では，江戸時代の人々は，はじめて迎えたロシア使節とどうやって意思疎通ができたのだろうか？

　この問いに関するヒントは，日露交渉の裏で大きな役割を果たした日本人漂流民たちにある。嵐の海で九死に一生を得，ロシアに漂着するという過酷な運命に見舞われながら，異郷の地で懸命に生き抜いた人々である。

■ ロシア帝国の東方拡大

　ウラル山脈以東の北アジアの地を，シベリアという。16世紀のロシアで専制政治の基礎を固めたイヴァン4世（1530～1584,在位1533～1584）は，コサックの首長イェルマーク（?～1585）を派遣し，天然資源豊かなこのシベリアの征服に着手した。その後もこの事業は，探検家や冒険商人たちの手で，先住民を支配下に入れつつ展開されていった。

　ピョートル1世（1672～1725，在位1682～1725）のもと軍備を整えたロシアは，さらに積極的にシベリア経営を進めてゆく。中国の清朝との間にネルチンスク条約（1689）を結んで両国の境界を定めたのち，北東方面へと進路を転じてベーリング海峡を越え，果ては北アメリカ大陸の沿岸部までも占拠していった。

　この怒濤の遠征の原動力となったのは，何よりも商品価値の高い毛皮がとれる，クロテンの存在だった。シベリアで獲得される毛皮こそは，17世紀におけるロシア最大の輸出品であり，国庫の財源だった。その魅力に導かれた結果，イヴァン4世以来わずか200年の間に，ロシアはユーラシア・北アメリカ両大陸をまたぐ広大な帝国に成長したのである。

　この間，ロシアの勢力は千島列島を南下し，1768年にはエトロフ島に到達している。当時，隣のクナシリ島には，すでに「場所」と呼ばれる松前藩の交易拠点が置かれていた。濃霧と複雑な海流という航海の難所にはばまれ，互いの姿はまるで幻影のようにしかとらえられていなかったものの，すでにロシアは日本の"隣人"となっていたのである。

日本語学校とロシアの日本探検

　領土を急速に拡大させたロシアは，同時に大きな問題も抱えていた。それは，国土があまりに広大なため，本国からシベリアへの食料や物資の補給が困難になってしまったことだった。そうしたなか，ロシアにとって北太平洋における将来の魅力的な通商相手と映ったのが隣国日本であり，その存在をロシア人に知らしめたのは漂流民たちだった。日本近海で遭難した船が，黒潮に乗ってシベリアに漂着するという事件がたびたび起こっていたのだ。

　大坂出身の伝兵衛も，そのようにして漂着した人物だった。1702年，伝兵衛と接見して興味を持ったピョートル1世は，さっそく日本への探検航海を企て，その準備として新都サンクトペテルブルクに日本語学校を設置した（のちイルクーツクに移転）。伝兵衛以後の漂流民たちはこの学校で教鞭をとり，将来の対日交渉に備えて日本語通訳の養成に従事することになるのである。

　ピョートルの死後も対日関係樹立の試みはつづいた。1739年，日本への航路探索を命じられたシパンベルク率いる艦隊所属の船員たちは，安房国の天津（現，千葉県鴨川市）で上陸し，近くの村で歓待まで受けたという。ロシア人が日本の地を踏んだ最初の事件である。

　さらに1778年には，カムチャツカ長官の意を受けたシベリア商人が，

対日通商の可能性を探るために使節シャバーリンを蝦夷地に派遣している。シャバーリンはネモロ（現, 根室市）, ついでアッケシ（現, 厚岸町）に上陸し, 蝦夷地を支配する松前藩と接触することに成功したものの, 交渉の結果, 通商については拒否されてしまった。

このように, ロシアによる日本への探検航海がたびたび行われたが, その一行には, 常にロシア人の日本語通訳の姿があった。彼らの正体は, 日本語学校にて漂流民たちから日本語教育を受けた人々だったのである。

ラクスマン来航と大黒屋光太夫

1791 年, 漂流民の大黒屋光太夫（1751 〜 1828）が女帝エカチェリーナ 2 世（1729 〜 1796, 在位 1762 〜 1796）に拝謁し, 日本への帰国を請願した。さかのぼること約 10 年前の 1782（天明 2）年, 光太夫の乗る神昌丸は伊勢国白子（現, 三重県鈴鹿市）から江戸に向かう途中で遭難し, アリューシャン列島まで流されてしまう。光太夫らはここでロシア語を覚え, 日本への帰国の望みを捨てずに異郷の地で奮闘してきたのだった。この間, 17 名いた乗組員は, 命を落としたりロシアへの帰化を選んだりした結果, わずか 3 名になっていた。

ところで, これまでロシアは日本人漂流民をロシア国内に留め置き, 日本語学校で教鞭をとらせてきた。しかし, 度重なる探検航海によって日本

図1　光太夫が女帝に拝謁したエカチェリーナ宮殿

への航路が切り拓かれ，いよいよ日本との外交関係樹立が視野に入った今，漂流民には新たな価値が見出された。それは，キリスト教国を極度に警戒している日本と交渉の糸口をつかむため，漂流民の送還によって歓心を買うという算段である。

　こうして1792年，エカチェリーナ2世の命を受けたロシア初の公式遣日使節ラクスマンは，光太夫・磯吉・小市の3名の漂流民をともない，シベリアから蝦夷地のネモロへと到着した。光太夫らにとっては，約10年ぶりに踏む日本の地である。

　明けて翌1793年，ネモロで冬を越したラクスマンらは松前に移り，江戸から下向してきた幕府役人の石川忠房・村上義礼との会談に臨んだ。その席では，ラクスマンが日露通商を開くことを求めたものの，幕府側は時間稼ぎの意味もあったのだろう，まずは外交の窓口である長崎に廻航するよう主張するばかりだった。ともかくも長崎への入港許可証を得たことを成果として，ラクスマンは光太夫ら2名（小市はネモロで死亡）を引き渡し帰帆していった。

　ラクスマン来航に始まる対露交渉は断続的につづき，その後も漂流民の送還が行われた。これは，幕府にとってはじめて国家レベルで外国と向き

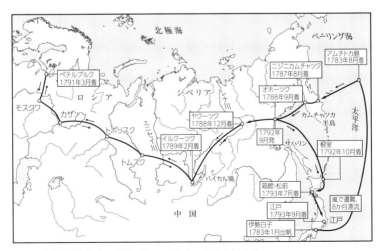

図2　大黒屋光太夫の足跡（『ロシア極東　秘境を行く』）

図3 大黒屋光太夫と磯吉（『漂民御覧
之記』早稲田大学図書館蔵）

合う経験であった。その対応のなかで，幕府が“新規の国交を結ばない”
という外交方針を徐々に鮮明にしていった結果，日本は外国に対し国を閉
ざす「鎖国」をしているという現状認識が形成されていった。それとともに，
「鎖国」日本から異国の脅威をのぞくことをめざして，海防論や攘夷論が台
頭していった。ロシアとの接触は近世社会に多大な影響を与え，歴史の大
きな転換点となったのである。

漂流民による文化交流

　不幸にも漂流民となった人々は，ロシアの外交政略に利用されるかたち
ではあったものの，両国との懸け橋となって日露の文化交流の面でも大き
な足跡を残している。まずロシアでの活動に目を向けると，日本語学校で
教鞭をとった人々についてはすでに述べたとおりである。ほかにも，伝兵
衛は日本の風俗や制度について『伝兵衛物語』の一書を残しているし，ま
た光太夫は言語辞典の編纂事業に協力している。

　運よく帰国できた漂流民も，日本で同様の役割を果たした。光太夫と磯
吉は，一介の船乗りという身分にもかかわらず 11 代将軍徳川家斉（1773
〜 1841）に謁見を許され，ロシア事情についての諮問を受けた。また，蘭

図4　新元会（蘭学者の新年会）**でロシア語署名を披露する光太夫**（「芝蘭堂新元会図」部分。鈴鹿市，大黒屋光太夫記念館蔵）

学者桂川甫周（1751〜1809）は幕府の命で彼らの見聞をロシア地誌『北槎聞略』にまとめているほか，多くの洋学者たちが光太夫と親交を結ぶことで海外事情を学ぶ機会を得た(図4)。彼らは貴重な海外情報の伝達者となり，また近代科学の基礎となる洋学の発展に貢献したのである。

　しかし同時に，帰国できた漂流民はきわめて少数であり，大多数の者は大海原で，あるいは異郷の地で命を落としたことも事実だ。なかでも痛恨の極みというべき事例は，辛苦の末光太夫とともに帰国したものの，幕府側に引き渡される前にネモロで命を落とした小市の事例だろう。西浜墓地には，地元有志が建てた小市の慰霊碑がある。もし根室を訪れる機会があったら，日露交流の星霜だけでなく，そうした無念の死を遂げた人々にも思いを馳せたいところである。

■参考文献
相原秀起『ロシア極東　秘境を行く』北海道大学出版会, 2016
木崎良平『漂流民とロシア―北の黒船に揺れた幕末日本―』中公新書, 1991
東洋文庫・生田美智子監修, 牧野元紀編『ロマノフ王朝時代の日露交流』勉誠出版, 2020
根室市博物館開設準備室『ラクスマンの根室来航』根室歴史研究会, 2003
藤田覚『近世後期政治史と対外関係』東京大学出版会, 2005

江戸時代の人体解剖

西洋学術の普及をめぐって

海原 亮

人体解剖のはじまり

　わが国における人体解剖の学術史は，1754（宝暦4）年，医師の山脇東洋（1705〜1762）が，京都郊外の刑場で刑死体を切り開く場面に立ち会ったことにはじまる。

　山脇は，当時，盛んだった「古医方」を修め，実証精神の大切さを学んだ。古医方とは，中国医学の基本である「陰陽五行」の説を空論として排し，後漢時代に成立した医学の古典に立ち返ることを主張した学派である。かねて内景（内科）の理論に疑問を抱いていた山脇は，あるとき，師の勧めで

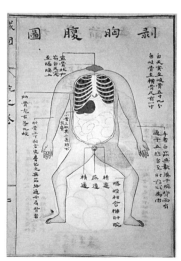

図1　山脇東洋『蔵志』（日本歯科大学 医の博物館蔵）

カワウソを解剖したものの，ますます五臓六腑の説を信じられなくなった。そこで自らの手で人体の内部を観察してみようと考え，公儀（京都の町奉行所）に解剖実験の必要性を説いたのである。医学発展のためとはいえ，当時は穢れ・不浄の観念が支配的だったので，人の体を切り開くことへの忌避意識は，人びとのあいだでたいへん強かった。

　ようやく公儀の許可を得て実現した解剖の記録は，『蔵志』（1759）として刊行された。この本は，図をわずかに4葉しか収めていないが（図1），従来の説にとらわれず，観察に依拠した独自の知見が

取り入れられており，学界に大きな衝撃を与えた。

　山脇以降，上方（京・大坂）を中心に，医師の主導する解剖実験が広くおこなわれて，その成果をまとめた図版も作られた。江戸時代の解剖図は，中国医学の信憑性を問い質す意味もあり，内臓の様子がとりわけ細かく記されている。また，実際に切り開かれていく死体を写実的に描いたものが目立つ。そのありようは，身体の部位や器官の様子を個別に表現した西洋のそれとは，かなり雰囲気が異なる。

翻訳による学術の移入

　1771（明和8）年，江戸小塚原（現，東京都荒川区）の刑場では，洋学者の前野良沢・杉田玄白・中川淳庵ら有志が，刑死体の解剖に立ち会っている（『蘭学事始』）。この時代の人体解剖は，死体を管理する公的な役を担う「えた」身分の者（被差別民）が実際に刀をとり，医師たちはその様子を傍らで観察することがほとんどだった。

　前野らは，人体の内部を間近で観察し，彼らが所有するオランダ語の解剖書『ターヘル・アナトミア Ontleedkundige Tafelen』（1734年刊。1722年にドイツで出版された専門書のオランダ語版）と見比べて，そこに記された内容，とりわけ解剖図が非常に正確だとすぐさま気付いた。そこで彼らはさっそく同書の日本語訳にとりかかり，『解体新書』として1774（安永3）年に公刊した。もっとも，オランダ語の知識が不十分なので，訳語についてはかなり苦労をしたし，誤りも少なくなかった。

　たとえば，「神経」という訳語（オランダ語でzenuw，セイヌ。髄筋などと呼ばれた）は，同書によって初めて一般化されたものだ。その存在自体は，江戸時代初期に広まっていた南蛮（ポルトガル）流医学によってすでに知られていたが，適切な定訳を与えたことの意義は実に大きい。ただし，『解体新書』にみえる医学用語は，中国で翻訳された，西洋の学術書からの影響を受けたものが目立つといわれる。

　ここでは，医学分野に限らず，江戸時代の学術がおおよそ翻訳という独特のスタイルをとりつつ，発展を遂げたという事実に注目したい。はじめは中国伝来の知識・技術を移入し，それで学界の基盤を形成していたが，

18世紀半ば，おそらく8代将軍の徳川吉宗が洋書輸入を緩和した頃から，西洋の学問が浸透を始めていく。それらは主に書物の形で伝えられたので，日本語への翻訳という手間はどうしても避けられないのだが，翻訳されたものを，彼らが熱意をもち吸収する。その工程があったからこそ，国内での普及は順調に進展したのである。

『解体新書』という画期

　『解体新書』の図版を描いたのは，秋田藩角館（現，秋田県仙北市）出身の藩士で，絵師の小田野直武（1750〜1780）である。1773（安永2）年に平賀源内（1728〜1780）が，鉱山の開発と技術指導のため秋田藩を訪れたとき，小田野と出会い，西洋画の技法（遠近法，陰影法など）を彼に教えた。
　平賀は，本草学・地質学・医学をはじめ様々な学芸に通じた学者だった。1763（宝暦13）年江戸の物産会（薬品会）に出品された主要な物品に解説を付した『物類品隲』という書を刊行するなど，博物学全般に関心をもっていた。彼自身はオランダ語を読めなかったというが，洋書を手に入れ，

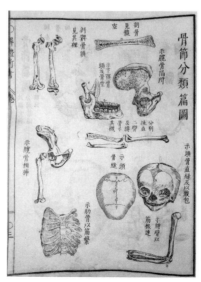

図2　『解体新書』（日本歯科大学　医の博物館蔵）

そこに記された新奇の学識を積極的に獲得しようと試みた。電気の原理を習得し、自らエレキテル（静電気の発生装置）を修復したことは有名だ。

　小田野は絵の修業のため江戸へ行き、わずかな期間で『解体新書』の図版を完成させた。原著に載っている精密画を、なるべく正確に描き写している（図2）。西洋の専門書に接して、あらたな画法を吸収した彼は、帰国すると藩主佐竹義敦（曙山、1748〜1785）に洋画の技法を教え、いわゆる「秋田蘭画」の一派を成した。

　そして、彼らの画風は、小田野に師事した絵師司馬江漢（1747〜1818）による江戸系の銅版画や、洋風画へと受け継がれた。司馬もまた、絵画の世界だけでなく、天文・地理、動植物学をはじめとする多くの分野に興味をもち、西洋の学術に接した人物である。

　『解体新書』、なかでも原著に収載された解剖図の存在は、医学・絵画の両面において、最新の知識・技術をわが国へと伝える、画期的なものとなった。それゆえ、同書以降の解剖図は、西洋の様式に影響を受けたものが増えていく。

　たとえば、陸奥国須賀川（現、福島県須賀川市）の絵師亜欧堂田善（1748〜1822）の手がけた、わが国初の銅版解剖図「内象銅版図」がある。これは、美作国津山藩の蘭方医宇田川玄真（1770〜1835）が翻訳公刊した解剖学書『医範提綱』の付図として再現されたもので、精巧な表現が完遂された。

　全国各地には、平賀や司馬のように、西洋の新奇の知識に触れ、それを我が物にしたいと考える、志の高い学者が多くいた。さらに時代が下ると、化学・物理学・軍事科学など様々な分野の学術書が盛んに持ち込まれ、翻訳され、情報の正確さや精密さが追求される。そういった作業を通じて、近代科学を受容する基盤は着実に整えられていったのである。

医学と美術の連携

　1783（天明3）年、京都伏見の刑場で刑死体の解剖がおこなわれた。この実験で主導的な役割を担ったのは、京都の著名な医師小石元俊（1743〜1809）だった。小石は日ごろから「山脇以降、解剖は何度も繰り返され、図巻も多く作られたが、西洋の医書と比べると、精密さで遠く及ばない」（『平

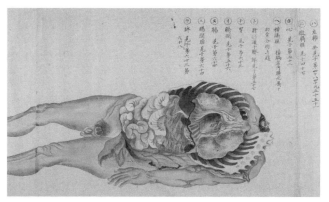

図3　南小柿寧一『解剖存真図』（京都大学附属図書館蔵）

次郎臓図』序文）と考えていた。たしかに『蔵志』に載る解剖図は非常に簡略なもので，写実的とはいい難い。彼は，正確な情報を希求していた。

　実験の成果は『平次郎臓図』としてまとめられた。実験で得られた知見を，小石は『解体新書』の記述とも対照させつつ，人体の構造について考究した。

　この書の図版を作成したのは，四条円山派に学んだ絵師吉村蘭洲（1739〜1817）だった。彼の師匠，円山応挙（1733〜1795）は，花鳥画の様式として「写生（形状を細密に再現する）」の姿勢を重視し，独自の絵画様式を確立させた。対象のありのままをとらえ，精細に写す作画法は，人体内部の仕組みを記録するのに有効である。小石としては，西洋の解剖図に匹敵する精緻さを求めたがゆえに，吉村の技量を信じ，解剖実験に参加させたのだ。

　その後，1802（文政2）年，山城国淀藩医の南小柿寧一（1785〜1825）が『解剖存真図』を著した（図3）。彼は，江戸で桂川甫周（1751〜1809）に西洋流の外科を学んだが，同家に蔵する小石の解剖図（『平次郎臓図』のことだろう）を賞讃しつつも，なお緻密さを追求すべきだと考えた。そこで，自ら多数の解剖実験に立ち会って得た所見と，西洋の専門書の図版を広く参照し，80点以上の実に精細な解剖図を描き，画期的な一書にまとめた。

　江戸時代における医学・解剖学の発展は，このように美術の流れ，絵画技法の世界とも密接に関連するものだった。実は，これと似た現象は，西

欧のルネサンス期（14〜16世
紀に展開した，学芸の復興運動）
にもみられる。レオナルド・ダ・
ヴィンチ（1452〜1519）や，ミ
ケランジェロ（1475〜1564）な
どの著名な芸術家が，人体解剖
に関わったことである。

　レオナルドの場合，解剖学の
知識を学んだ後，パドヴァ大学
の解剖学教授デッラ・トーレ
（1481〜1511）の指導を得て，
数多くの解剖実験に携わったと
いわれる。そうして得た所見を，
彼は「手稿」（手書きのスケッチ）
の形で描き残した（図4）。筋肉
の動きや骨格，臓器，血管，神

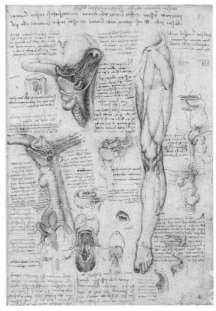

図4　レオナルド・ダ・ヴィンチ「手稿」／
Alamy

経にいたる人体の仕組みを綿密に観察した成果である。
　レオナルドは，人間を如何に表現すべきか，という芸術上の欲求から解
剖実験に重きをおいたとされる。人体の内側を科学的に理解することで，
絵画はより高い完成度を得られるという発想だ。しかも，たんに観たまま
を描くのではなく，各器官の機能，動き方の分析を踏まえたうえで数多く
のスケッチを創りあげた。写真やビデオが存在しない時代，観察によって
得た情報を如何に記録するのかは，きわめて大きな課題だった。学問上の，
また芸術を追究する必要性から，医学と美術の世界は密接に連関し，相互
の発展が促されたのである。

■参考文献
青木歳幸・海原亮ほか編『洋学史研究事典』思文閣出版，2021（「Ⅵ2解剖」「秋田2秋田蘭画」）
京都府医師会編『京都の医学史』全2冊（本文篇・資料篇）思文閣出版，1980
坂井建雄『人体観の歴史』岩波書店，2008
杉本つとむ『語源の文化誌』創拓社，1990
鳥井裕美子『前野良沢　生涯一日のごとく』思文閣出版，2015

奴隷貿易

島田 竜登

出島の「黒坊」

　江戸時代の長崎の港内に設けられた人工島である出島にはオランダ人が住んでいたことはよく知られている。1641年以来，出島はオランダ東インド会社が借り受け，そこに商館を置いていた。年間を通じて商館長以下，オランダ人がこの人工島に居住していた。

　しかし，このオランダ人よりも人数の上回るアジア人の集団も出島に滞在していたことはあまり知られていない。出島に居住していたアジア人とは，ジャワ島，バリ島，スラウェシ島といった現在のインドネシアに相当する島嶼部各地出身のアジア人奴隷であった。彼らは，出島のオランダ人のうち，商館長など上級の職員が私的に所有する奴隷であった。彼らアジ

図1　出島のオランダ人の食事風景（アムステルダム国立美術館蔵）　左端・右端の2名が「黒坊」

ア人奴隷の長崎での仕事は様々であった。食事作りの手伝い，給仕など家内奉公人の用務が大半であったが，台風で壊れた出島の建物の応急修理を行うこともあれば，なかにはラッパやチェロ，さらにはハープなど楽器の演奏に長けていた奴隷もいた。なお，日本側は外国から女性が入国することを禁じていたので，オランダ人もアジア人奴隷もいずれも男性であった。

　ちなみに，日本人たちは出島のオランダ商館にいたアジア人奴隷を「黒坊」と呼んでいた。アジア人奴隷の一部にはバリ島出身のヒンドゥー教徒もいたが，大方はイスラーム教徒であった。『三国通覧図説』や『海国兵談』で有名な林子平（1738〜1793）は長崎に滞在しており，アジア人奴隷の葬式を目撃している。一般にアジア人奴隷が亡くなった場合，長崎の稲佐山のふもとにある悟真寺の墓地に葬られることになっていた。だが，葬儀自体は日本人僧侶の手は借りず，彼らがイスラーム教式に執り行っていた。いわゆる「鎖国」とされた時代においてなされた日本人のイスラーム教との邂逅であった。

　奴隷というと日本人には遠い国での出来事のように聞こえるかもしれないが，果たして本当にそうであろうか。実は長崎出島の「黒坊」のほかにも，奴隷は日本史に登場する。例えば，16世紀にポルトガル人が日本に来航したが，その時，彼らはアフリカ人奴隷を連れてきていた。また，ポルトガル人が日本人を奴隷として「輸出」するビジネスも営んでおり，奴隷として売買された日本人がアジアをはじめ，世界各地に流れ着いていったのである。また，ポルトガル人やオランダ人といったヨーロッパ人に限らず，アジアのなかでアジア人がアジア人奴隷を取引していた。例えば，「倭寇」とされた海賊は，13・14世紀には朝鮮沿岸部で，15世紀後半以降は中国沿岸部を荒らしまわった。そうした地域で捕らえられた人々は日本に連行され，労働力として売られたのであった。

大航海時代と奴隷貿易

　15世紀末にコロンブスがアメリカ大陸を「発見」し，一方，ガマがアフリカ大陸南端の喜望峰経由でインド亜大陸に到達した。その後，スペイン，ポルトガル，さらにはオランダ，イギリス，フランスなどといった西ヨー

ロッパ各国が世界各地に進出するようになる。たしかに世界各地に進出したが、とりわけ中南米での植民地の形成は特筆に値する。アメリカ大陸の先住民はスペイン人が持ち込んだ感染症である天然痘で多数が死亡してしまった。こうした状況下で、中南米に大規模農園たるプランテーションを建設しようとしたヨーロッパからの植民者は、当然、人手不足に悩まされ、それはアフリカから奴隷を連れてくることで解決しようとした。西アフリカに赴いたヨーロッパ人商人は、そこで奴隷を購入し、中南米にいわゆる奴隷船で連れて行き、最終的にはアメリカ大陸に移住したヨーロッパ人が経営するプランテーションに売られた。プランテーションではサトウキビ、タバコ、コーヒーなどといった作物が西ヨーロッパ市場向けに栽培されたが、その栽培のための労働力はアフリカから連れてこられた人々とその子孫たちであった。

　西ヨーロッパと西アフリカ、中南米を結ぶ大西洋三角貿易の一角をなす奴隷貿易であったが、18世紀末ごろにはイギリスで奴隷貿易や奴隷制に対する批判が高まった。イギリスでは奴隷貿易は1807年に非合法とされ、奴隷制度そのものも1833年に廃止された。また、フランスでも同様の動きがみられ、最終的には1848年に奴隷制度が廃止された。しかし、オラ

図2　西アフリカにおける奴隷と奴隷商人（アムステルダム国立美術館蔵）

ンダやポルトガルなどの植民地では1860年代まで奴隷制が存続され，一般的には禁止の方向性をたどっていた奴隷貿易や奴隷制に関して，一種の抜け穴となっていた。例えば中国人奴隷は英領の香港から世界各地に送り出すことはできないが，ポルトガルの支配するマカオからは可能といった具合である。

　さらに，オランダやポルトガルの植民地でも奴隷制が廃止された以後も，世界各地ではプランテーションなどでの肉体労働力を必要としなくなったわけではなかった。そこで，渡航費などを前借りした年季契約労働者として中国や英領インドから労働者が世界各地に移民し，肉体労働に半ば強制的に従事させられた。

　ところで，こうした西ヨーロッパから世界各地に赴いた人々が，奴隷貿易や奴隷制を創始し，それを世界各地に広めたというわけではない。大航海時代以前にも，形態は多様であったが，奴隷ないしそれに類する人々が世界各地の社会に元から存在していた。その意味ではヨーロッパ人が残酷な奴隷制を世界に持ち込んだのではないということになる。しかし，強調すべきは，ヨーロッパ人は奴隷を長距離に移動させるということを組織的に作り上げたということである。西アフリカからアメリカ大陸に渡らされ

図3　ブラジルのサトウキビ・プランテーションの製糖所（アムステルダム国立美術館蔵）

た奴隷にせよ，あるいはジャワから南アフリカにオランダ人によって移住させられた奴隷にせよ，故郷から遠く切り離された土地で奴隷を強制的に過酷な労働に従事させるシステムをヨーロッパ人が構築したのである。むろん故郷から遠ければ遠いほど，奴隷の忠誠心が高まるということも暗に想定されていたことはいうまでもない。

▌拡大される奴隷の定義

実のところ，歴史学において，奴隷の厳密な定義が存在するわけではない。とはいえ，定義の基本としては，奴隷とは売買される対象となる人間のことであり，人間それ自身に一定程度の所有権が設定される。そもそも奴隷には，税などが負担できなかったり，借金を返済できなかったりすることで，債務がたまり，自身や家族が奴隷となることとなった債務奴隷，戦争の際に生け捕りにされた戦争奴隷，刑罰として奴隷身分に落とされた奴隷などがある。こうして奴隷身分とされた人々の子供は，地域や時代によって例外はあるが，たいてい奴隷とされた。

ただし，近年の研究では，制度的に認定されていた奴隷ばかりでなく，様々な形態で強制的に過酷な労働に従事させられる人々についても「奴隷研究」の対象とされることが多くなった。あるいは，逆に「強制労働」の一形態として奴隷制をみなし，「強制労働」全般に関する歴史研究の重要性が叫ばれているといった方が分かりやすいかもしれない。その場合，年季契約労働者や売春婦が研究の対象になることはもちろん，東アジアに古くからみられる奴婢，あるいは近代の強制収容所の労働者や事実上脱出が不可能な鉱山労働者なども研究の対象となる。

加えて，奴隷を歴史的に考察する場合，二点，気を付けるべき点がある。第一は，法制度ではなく，実態をよく観察すべきことである。法的には奴隷が存在しない社会でも，実態として人身売買がなされ，強制的な労働が行われている場合が多々ある。そのため，法令や公的な記録などを用いる公式制度からのアプローチが不要というわけではないが，私的な記録，さらには旅行記など外国人による観察記録などから実態面に迫ることが必要不可欠となるケースが多い。

　もう一つの留意点は，奴隷制が真に残酷かどうかについて多方面から真摯に検証することの必要性である。基本，人口が希薄である社会ほど労働力不足であるから，生涯にわたっての保証がなされる奴隷制が成立しやすいという傾向がある。奴隷所有者が奴隷を私刑に処したり，極めて残酷な扱いをしたりすることが大っぴらに認められる社会は意外に少ない。奴隷が年を取り，過酷な労働に従事させるのが難しくなっても，奴隷所有者には衣食住を提供する義務が一般にあった。このことを奴隷の立場からみると，たとえ過酷な労働に従事させられるとはいえ，生涯にわたって衣食住が保証されているということになる。本来，労働力を必要とする立場からすると，必要な時だけ労働力を確保できれば良いのであり，労働者の生涯を保証することは高コスト以外の何物でもない。生涯を保証される奴隷制と，自由な労働とはいえ安価な時給で一時的にしか仕事が保証されない現代の賃金労働者とは，どちらが良いのであろうか。自由を得ることでかえって不自由となることはなかろうか。もちろん奴隷制を賛美することは決して許されない。いずれにせよ，実態を多方面から検討し，奴隷という存在を正確に理解するのにつとめる姿勢が肝要とされる。

■参考文献
川北稔『砂糖の世界史』岩波ジュニア新書, 1996
島田竜登「一八世紀末長崎出島におけるアジア人奴隷：オランダ東インド会社の日本貿易に関するひとつの社会史的分析」鈴木健夫編『地域間の歴史世界：移動・衝突・融合』早稲田大学出版部, 2008
鈴木英明『解放しない人びと, 解放されない人びと：奴隷廃止の世界史』東京大学出版会, 2020
デ・ソウザ, ルシオ／岡美穂子『増補新版　大航海時代の日本人奴隷：アジア・新大陸・ヨーロッパ』中公選書, 2021
デ・ソウザ, ルシオ／岡美穂子「奴隷たちの世界史」『岩波講座世界歴史第11　構造化される世界14〜19世紀』岩波書店, 2022

アメリカ船レディ・ワシントン号の紀州寄港

太平洋航路の開拓

稲生 淳

アメリカ船の大島寄港

　ペリー来航の62年前，1791年4月29日（寛政3年3月27日），紀伊半島南端の大島（和歌山県串本町）近海に2隻の異国船が寄港した。10日間の停泊中，乗組員が大島に上陸してホースで水を汲んだりしたほか，毎夕，火砲を20〜30発ほど放っていたと言う。

　漁船を装って偵察に行った紀州藩の番船（警備船）に異国船から一通の文書が投げ入れられた。そこには「本船は紅毛船。中国へ商売の帰途荒天に遭い漂流してここに来た。4，5日滞船するが好風が吹けばすぐ去るつもり

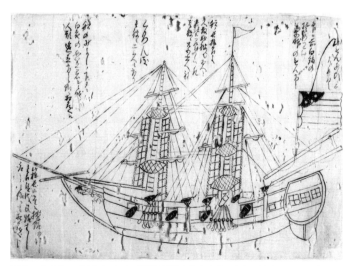

図1　レディ・ワシントン号絵図（「小山家文書」より。神奈川大学日本常民文化研究所提供）

である。船長の名は堅徳力記。」と書かれていた（『南紀徳川史』）。

　この一件は，我が国では外国船の漂着事件として取り扱われ，歴史的にもそれほど重要視されてこなかった。しかし，アメリカの歴史家サミュエル・エリオット・モリソン著『マサチューセッツ海事史』（*The Maritime History of Massachusetts 1783-1860*）には，「1791年，日本国民は初めてアメリカ国旗を目にした。この年，有名なボストンのスループ船レディ・ワシントン号（ケンドリック船長）は，ニューヨークのグレイス号（ダグラス船長）を伴い，ラッコを売る目的で日本の最南端の港に入港した。しかし，日本人は毛皮の利用について知らなかったので，商売はうまくいかなかった。」と記されている。

　レディ・ワシントン号は，アメリカの海事活動を記した数々の歴史書に「アメリカ北西岸に到着した最初のアメリカ船」，「最初に日本との交易を試みたアメリカ船」などと記され，アメリカ建国期における名高い船であったことがわかる。また，船長のジョン・ケンドリック（1740頃〜1794）も太平洋毛皮貿易を最初に手掛けた勇敢な船乗り兼冒険商人として知られ，マサチューセッツ州ウエアハムにある彼の家は海洋博物館として保存されている。

　レディ・ワシントン号の大島寄港をめぐって「漂着か，それとも交易を目的としたものだったのか」については，日米双方の史料に相違点も見られるが，建国間もない時期に，なぜレディ・ワシントン号が中国に派遣されたのか。また，その後，どうして日本に来航することになったのか。世界史の中でレディ・ワシントン号の大島寄港を考えてみたい。

18世紀末の広州

　18世紀末の中国広州は乾隆帝（在位1735〜1795）の貿易制限令（1757）によって，ヨーロッパ船に指定された唯一の貿易港で，公行と呼ばれる特定の商人組合が取り仕切っていた。様々な貿易上の障害があるにもかかわらずヨーロッパ各国が競って中国に船を派遣したのは，生糸・陶磁器・茶などの中国製品が大きな利益を生んだからである。

　中でも茶はイギリス人にとっては日常生活に欠かせない飲み物となって

図2　広州湾　ファクトリーと呼ばれた外国人居留地区。／Alamy

おり，イギリス東インド会社が貿易を独占していた。その消費地は主にイギリスとアメリカであったが，アメリカに運ばれる茶は，独立戦争前は「航海条例」によってイギリス船でロンドンに運ばれた後，再びアメリカに送られたため高値が付いた。独立戦争後，アメリカ商人たちが中国貿易に参入したのは，イギリス東インド会社による茶の独占に割り込み，自国船で直接茶を輸入し一儲けしたいと考えたからである。

　次に，広州は毛皮貿易の市場でもあった。17世紀末頃からヨーロッパでは毛皮の大流行が起きていた。特にラッコの毛皮は品質の高さから珍重された。18世紀に入って，デンマーク人ヴィトゥス・ベーリング（1681～1741）やロシア人アレクセイ・チリコフ（1703～1748）の探検によって，カムチャツカ半島周辺やアリューシャン列島一帯，アメリカ北西岸でラッコやアザラシなどが無尽蔵に近いことが報告されると，各国はラッコ争奪に乗り出した。ラッコは「柔らかい宝石」ともいわれ，中国やヨーロッパでは「毛皮の王」としてもてはやされていたのである。

アメリカの中国進出

　アメリカの中国進出は，独立直後から始まっていた。アメリカは独立戦争には勝利したが商業は衰え産業は荒廃していた。米英貿易が再開されイギリス製品が大量に輸入されたのに対し，アメリカ製品の輸出は伸びず貿易収支は悪化した。特に，漁業，海運，捕鯨，造船といった海事活動で生

計をたててきたマサチューセッツやニューヨークなどの北部諸州は，生命
線とも言える海上貿易の不振により，かつてない不況に襲われた。アメリ
カ商人たちは鱈の市場であった西インド諸島や鯨油の市場であったイギリ
スを失った。

　ニューヨークの商業会議所は「神の御恵みによって我が国に平和と独立
がもたらされたにもかかわらず，この御恵みは今までのところ商業の繁栄
や成功には及んでいない」とアメリカ経済の先行きを心配するコメントを
出した。このような逼迫した経済状況のもとで，アメリカ商人たちは新た
な市場獲得を目指して世界中に商船を派遣するが，彼らに最も魅力ある市
場と映ったのは中国だった。

　1784年2月，ニューヨークの商人らはエンプレス・オブ・チャイナ号（360t）
をアフリカ経由で中国に派遣した。積荷はアメリカ産薬用人参（朝鮮人参に
近いが品質はおちる），ブランデー，ワインなどの貨物と2万ドルの硬貨と
記録されている。この航海で茶，絹織物，陶磁器，綿布などを持ち帰り3
万7000ドルの利益を上げた。これがアメリカ商人たちが中国へ向かう契
機となった。

　ところで，ヨーロッパ各国の商人に比べてアメリカ商人たちが不利だっ
たのは，中国人が歓迎する商品を持っていなかったからである。アメリカ
産薬用人参は取れる量も少なく期待したほどの利益をもたらさなかったの
で，これに代わる新たな特産品を見出す必要があった。この頃，ジェームズ・
クック（1728〜1779）の3度目の航海記が出版され，「アメリカ北西岸で
先住民からわずか6ペンスで買ったラッコの毛皮が中国では1枚100ドル
で売れる」との情報にボストン商人たちは飛びつき，新たな貿易の企画に
とりかかった。それは従来のようなアフリカ経由ではなく，南アメリカ大
陸南端から太平洋を横断して中国に向かうというものであった。

レディ・ワシントン号と太平洋毛皮貿易

　早速，コロンビア号（212t）とレディ・ワシントン号（90t）の2隻が仕
立てられ，コロンビア号の船長兼総指揮官にはジョン・ケンドリックが，
レディ・ワシントン号の船長兼副官にはロバート・グレイ（1755〜1806）

が任命された。この遠征をジョージ・ワシントン（1732〜1799, 当時まだ大統領になっていなかった）も応援し, また, 駐仏大使であったトマス・ジェファソン（1743〜1826）も中立国船舶証明書の交付に便宜を図るなどして積極的に支援した。彼らは未知なるアメリカ北西岸の情報収集と新たな中国貿易に期待していたのである。

　1787年10月, ボストンを出航した2隻は, 大西洋を南下して南アメリカ大陸南端ホーン岬を回り太平洋に出た後, 北上してアメリカ北西岸に到着, 先住民との交易でラッコの毛皮を手に入れた。ここで, ケンドリックは副官のグレイに命じて, 獲得した毛皮を積んでコロンビア号で先発させ, 自らは毛皮交易の足固めをした後, レディ・ワシントン号で中国に向かった。しかし, コロンビア号は広州で交易を終えた後, 先に喜望峰経由で帰還したため, ケンドリックとグレイは会うことはなかった。

　1790年1月, ケンドリックはマカオに到着するが, 中国当局の毛皮規制が厳しくなっていたため毛皮を売り切ることはできず, その上, 1年以上マカオに滞在を余儀なくされた。1791年3月末, ケンドリックは売れ残りの毛皮200枚を積んだレディ・ワシントン号で, 旧知のダグラス船長率い

図3　1989年にワシントン州アバディーン市で復元されたレディ・ワシントン号（串本町提供）

るグレイス号を伴いマカオを出航しアメリカ北西岸を目指した。航海の途中，日本に立ち寄ったのは，出資者の代表ジョセフ・バレル（1739〜1804）からケンドリックに対し，「もし可能であるならば日本市場の開拓をするように」との指示が与えられていたからである。大島寄港は日本での毛皮交易の可能性を探るためではなかったかと考えられているが，日本側と交易することなく立ち去った。

　レディ・ワシントン号の大島寄港は，ボストン商人たちが企てた太平洋毛皮貿易の中で起きた出来事であった。また，それは，太平洋航路開拓のプロローグであったと言えよう。1973（昭和48）年，アメリカ船の寄港を記念して串本町大島に日米修交記念館が建設された。他方，1989年，アメリカのワシントン州アバディーン市も，レディ・ワシントン号が毛皮獲得のために立ち寄った縁をもとに，同船を復元し歴史教育などに役立てている。

　なお，串本町にはトルコ記念館や樫野埼灯台，潮岬灯台，潮風の休憩所（「真珠貝ダイバーの軌跡」）など世界史につながる施設が数多く存在する。

■参考文献
稲生淳『熊野　海が紡ぐ近代史』森話社, 2015
下山晃『毛皮と皮革の文明史―世界フロンティアと掠奪のシステム―』ミネルヴァ書房, 2005
ペリー, ジョン・カーティス（北太平洋国際関係史研究会訳）『西へ！アメリカ人の太平洋開拓史』PHP研究所, 1998
御手洗昭治『黒船以前―アメリカの対日政策はそこから始まった!!』第一書房, 1994
横山伊徳『日本近世の歴史5　開国前夜の世界』吉川弘文館, 2013

近世の琉球

首里城，街並み，人びとの暮らし

石井 龍太

　琉球史において，薩摩の軍事侵攻（1609）から琉球処分（1872 ～ 1879）
までの時期を一般に「近世琉球」期と呼ぶ。しかし首里王府の対外関係史
を重視した他律的な捉え方に対し，琉球諸島の内質を指標にした時代区分
も提唱されている。

　本稿で扱う 18 世紀の琉球諸島は，「近世琉球」期の概ね中盤から後半期
に該当する特徴的な時期である。文献史学，建築学，考古学等の知見を活
かし，その様子を描き出してみよう。

首里城正殿

　国王の居城である首里城の中心的建物である正殿は，17 世紀末に大きく
変化した。直接の契機は 1660 年の火災と 1670 年の再建であった。14 世
紀後半の創建当初は瓦葺き（図 1-1），その後板葺き（図 1-2,3）となった正
殿は，15 世紀半ば以来 200 年ぶりに瓦葺きとなり，琉球国の歴史書『球陽』
には「壮麗鞏固」となすと記録される。さらに 1682 年には棟上に彩色さ
れた竜頭が載せられる（図 1-4）。

　1709 年に正殿は再び火災に遭うものの，1712 年には再建され，それま
での正面 7 間から増築して 9 間となる（図 1-5）。また正面に唐破風が追加
され，正面階段が遠近を強調したハの字型になっていく。その後も増築は
行われ，1768 年までに正面 11 間となり（図 1-6），これが正殿の最大サイ
ズとなった。

　なお 1712 年の再建までに葺かれた首里城の屋根瓦は灰褐色ばかりであ
った。18 世紀前半頃から赤色瓦の生産に切り替わるが古材は残り，19 世
紀に至るまで灰褐色と赤色が入り混じっていたことだろう。また壁や柱の

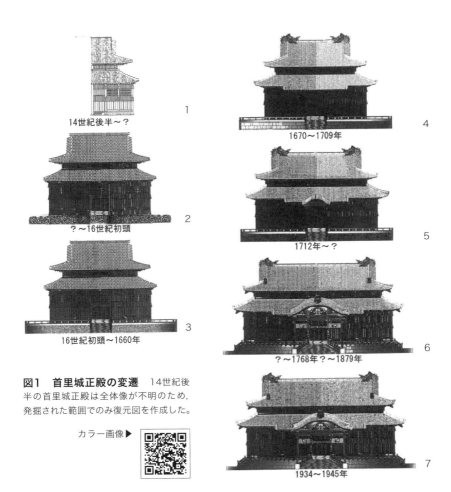

1　14世紀後半～？

2　？～16世紀初頭

3　16世紀初頭～1660年

4　1670～1709年

5　1712年～？

6　？～1768年？～1879年

7　1934～1945年

図1　首里城正殿の変遷　14世紀後半の首里城正殿は全体像が不明のため，発掘された範囲でのみ復元図を作成した。

カラー画像▶

色は現在も議論があり，徐葆光の『冊封全図』（1720）に描かれた正殿はほぼ黒色だが，『首里古地図』（18世紀前半頃）では赤色に描かれている。その後も絵図によって正殿の壁は赤，黒と異なる着色がなされ，復元の課題は多い。

　琉球国滅亡後も正殿は残り，1934年には再建される（図1-7）が，アジア・太平洋戦争における沖縄戦で焼失し，1992年になって18世紀後半～19世紀後半の首里城をモデルに復元された。復元首里城は沖縄県内外に「首里城とはこういうものだ」というイメージを広く普及させることとなる。

戦災によって途切れた過去とのつながりが，現代に再び結びつけられた例ともいえるだろう。ただし城全体を赤色が埋め尽くす等，現代の加筆がなされた部分もあったことは見逃せない。2019年の火災を経て，新たな再建がどの様な結び目を作り出すか注目される。

街並み

　琉球諸島では17世紀後半から人口増加があったという。18世紀前半期には総人口は20万人に達したとされ，特に首里・那覇や先島地域の増加が顕著であった。これに伴い，各地で宅地化，耕地の拡大が進められる。首里・那覇では都市人口の増加に伴って港湾の埋立と宅地化が進み，地方からの移住を禁じる一方，地方へ移住した困窮士族による屋取（ヤードゥイ）集落が登場する。人口増加が進んだ八重山諸島でも1730〜1750年代には村建てが盛んに行われた。

　こうした状況下で，18世紀前半以降に碁盤目状の街区が登場し始めたという。琉球諸島全体で，整備された街路に面して計画的に屋敷地が並び，個々の屋敷地の面積が画一化されていく。

　また近世琉球期には，遺体を墓室内に安置し，一定期間後に厨子甕（ジーシガーミ）と呼ばれる納骨器に納める「風葬」が行われた。厨子甕には中国年号を用いて死亡や洗骨の年月日が記録された。

　そして集落や農耕地を激しい風雨から守る人工的な樹林帯・抱護林（ほうご）が街

図2　抱護林に囲まれた碁盤目状集落（石垣島真栄里　1959年米国政府撮影　沖縄県公文書館蔵）

区を囲み，後背に御嶽等と呼ばれる聖地が位置する集落景観が各地に生まれていく（図2）。集落全体だけでなく番所や屋敷を囲む植樹も行われた。各地に残るフクギの屋敷囲いは，18世紀からの伝統を現代につなぐ生き証人である。

　また18世紀は集落近くに整備された森林が広がる時期でもあった。王府は集落が管理する杣山と呼ばれる森林を設置し，林業技術者を派遣して木材資源の効率化を図った。首里城正殿の相次ぐ増築や大型船の建造には，管理育成された木材が活用されたのである。

　こうした変化は，有力政治家である蔡温（1682〜1762）が主導した様々な改革の成果とされる。また一連の改革は中国から持ち込まれた風水思想の下で行われ，以後19世紀に至るまで，風水判断と改善の指示が各地で出され続けることとなる。身近なところでは，現在も琉球諸島の街並み，特に丁字路等でよく目にする「石敢當」と刻まれた小さな石が挙げられる。中国発祥の魔除け石とされ，九州，台湾，東南アジアまで広く分布する。琉球諸島では18世紀前半の例が久米島で確認されている。風水師が石敢當の建立を指導する記録もあり，現代までつながった例といえるだろう。

　さて当時の建物は大半が茅葺きであったが，15世紀後半以降，那覇の中国商人宅を皮切りに，灰褐色の瓦葺き建物が沖縄島内に少しずつ広がっていく。17世紀後半には首里城正殿も瓦葺きとなり，さらに番所や百姓の蔵にも奨励され，茅葺きばかりだった農村にも瓦屋根が見られる様になる。18世紀前半までに赤瓦の生産が始まることから，それまでに瓦葺きにした建物は灰褐色，おいおい葺き替えた建物は赤色の屋根となったであろう。また灰褐色の屋根でも，改修の際に赤色の新材が足され混色になったことだろう。

　ただし庶民には瓦や良質の建材は許されず，屋敷地面積の画一化と合わせて士族との階層化がなされた。そもそも費用がかさむ瓦葺きは，近世琉球期の農村では番所や蔵以外に大きく広がることは無かったであろう。近代期には制限が無くなり，瓦葺きはさらに普及するが，日本本土風の瓦やセメント瓦も競合し，戦後はアメリカ軍人・軍属向けのセメント製賃貸住宅「外人住宅」も建設される。現在は再び瓦屋根が注目され，職人の養成

や技術の存続が図られている。現代が求めた近世琉球期とのつながりのひとつといえるだろう。

人びとの生活

　琉球諸島には村域を超えた耕作や土地所有があった。特に八重山諸島では遠距離に構えた耕作地へ往来する通耕が 15 世紀には行われていた。土地ではなく住人に税をかける人頭税の導入にはこうした背景もあったとされる。人口増加により耕地が拡大した 18 世紀にも通耕は盛んに行われた。近世琉球期には米が税収の基本とされたが、稲作に適さない島では代替品が上納される例や、水田を他村、他島に求めて通耕する例もあった。

　各地で増産された米と甘藷、そして救荒作物として積極的に植樹された蘇鉄は、近世琉球期を支えた食料といえよう。蘇鉄はまた蘭と共に観賞用植物ともされ、沖縄産陶器の植木鉢に植え付けて日本へと輸出されていた。また 17 世紀から王府の専売とされたサトウキビやウコン、日常から祭祀の場まで広く普及したタバコ、ハレの食材である豚肉も近世琉球期を特徴づける食品といえるだろう。豚料理は中国からの客人の歓待にも庶民の祭事にも用いられた。豚を用いた辟邪儀礼も行われ、現在まで継承されている。18 世紀に入ると王府は豚飼育を奨励する。当時は放し飼いが基本であり、18 世紀の琉球諸島の町や村には毛深い黒豚が餌を求めて歩き回り、独特の臭気を放っていたであろう。タバコと豚の臭いは、現代から消えつつある近世琉球期の臭いともいえるのである。

　そして人びとの食器、貯蔵具等にも変化が生じる。16 世紀までは各地の拠点施設は勿論、集落遺跡からも貿易陶磁器が出土するが、16 世紀以降は急減する。貿易活動の盛衰は、王府の中継貿易だけでなく人びとの生活にも大きな影響を与えたことだろう。先島諸島では宮古式土器やパナリ焼と呼ばれる土器の生産が行われ、不足を補うためであったと考えられている。

　王府は技術移入による自給活動を活発化させ、16 〜 17 世紀には大陸や薩摩の技術を導入して瓦、瓦質土器、次いで陶器（沖縄産無釉陶器（荒焼）、沖縄産施釉陶器（上焼））を生産し始める。瓦生産をはじめ権力者の奢侈品が嚆矢となるが、徐々に民間向けの日用品も作られる様になる。17 世紀後半

からはさらなる窯業改革が進めら
れ，現在も窯業地として知られる那
覇市の壺屋は1682年に沖縄島各地
の窯が統合され成立したという。ま
た石垣島，宮古島でも窯業生産が開
始され，製品は地域内に流通した。
こうした王府主導の地産地消政策は
窯業製品に留まらず広く見られ，近
世琉球期を貫くキーワードといえる
だろう。

図3　八重山地震津波で移動した「安良
大かね」(石垣島平久保，著者撮影)／周辺の
灰色の砂は2020年8月の小笠原諸島・福徳岡
ノ場の海底火山噴火に由来するとみられる軽
石。　　　　　　　　　カラー画像▶

災　害

　近世琉球期を考える上で，頻発した災害を見逃すことはできない。1771
年に発生した八重山地震津波は，地震による被害に加え，その後に襲った
津波遡上高が最大で約30mに及んだという。先島諸島に大被害をもたらし
たこの災害は，東日本大震災後に改めて注目され，学際的な研究成果が蓄
積されている。各地に残る津波が運んだ巨大な津波石や津波堆積物(図3)は，
災害の記憶を現代につなぐ語り部となっている。

　また18世紀後半から19世紀には琉球諸島各地で飢饉が発生し，先島諸
島ではマラリアの災禍も記録される。こうした多発する災害を背景に，先
島諸島や久米島では著しい人口減少と停滞が記録される。沖縄島では引き
続き人口増加が認められるものの，首里・那覇は過密状態に達し拡大発展
は停滞する。多くの変化が見られた18世紀前半と対照的に，発掘調査では
この時期に目立った変化が見られず，琉球諸島史が新たな段階に入ったこ
とをうかがわせる。

■参考文献
石井龍太『ものがたる近世琉球　喫煙・園芸・豚飼育の考古学』吉川弘文館, 2020
鎌田誠史・山元貴継・浦山隆一『「抱護」と沖縄の村落空間　伝統的地理思想の環境景観学』風響社,
2019
後藤和久・島袋綾野編『最新科学が明かす明和大津波』南山舎, 2020
得能壽美『近世八重山の民衆生活史―石西礁湖をめぐる海と島々のネットワーク』榕樹書林, 2007

北方世界を結ぶ「交易民」アイヌ

濱口 裕介

　2020（令和2）年，北海道白老町にアイヌ文化を振興し，そして多様で活力ある社会を築いていくという目標を掲げたウポポイ（民族共生象徴空間）がオープンした。このウポポイ内に開館した国立アイヌ民族博物館では，厚岸湖岸で出土したイタオマチ〔プ〕（板綴舟，厚岸町海事記念館所蔵）を，「展示のシンボル」のひとつに据えている。長さ566cm，幅60cm，ハリギリの木で造られたこの舟は，チ〔プ〕（丸木舟）の舷側に板を取り付けて大型化したもので，遠距離の航行に用いられたという。製作されたのは17世紀後半（江戸時代前期）以降であることが判明している。

　かつてアイヌはどの国にも属さず，清朝・ロシア・日本といった国々の間を行き来し，広域の商品流通を担うことで，独自の存在感を示していた。現代によみがえったこのイタオマチ〔プ〕は，かつてのアイヌたちの「交易民」としての一側面を現代に伝えているのである。

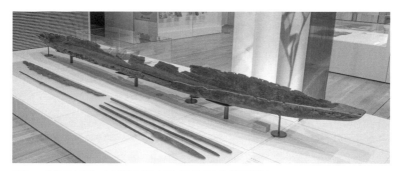

図1　イタオマチ〔プ〕（公益財団法人アイヌ民族文化財団提供）

松前藩との交易

　アイヌの交易活動のなかで最も知られているのは，蝦夷島（北海道本島）南部に城地を持つ松前藩との交易であろう。

　近世日本で国土の基本として考えられていたのは，古代の律令国家以来の五畿七道の範囲（おおむね本州・四国・九州）だった。幕藩体制のもと北の外界との窓口を担った松前藩も，アイヌの居住地である蝦夷地をみずからの勢力圏と位置付けつつ，五畿七道の外縁に位置する「異域」として取り扱った。そのため，アイヌに対しても基本的に支配対象ではなく，交易相手として接したのである。

　その交易の方法は，蝦夷地に点在するアイヌ集落を商場（のち「場所」とよばれる）という交易拠点として設定し，そこで物々交換を行う方式がとられた。交易の際に松前藩士がアイヌにもたらした品は，米・酒・麹・塩・たばこといった嗜好品を含む食品，鉄製品，古着や布といった生活必需品だった。これらをアイヌ側が用意したニシン・数の子・干しアワビといった海産物，鷲の羽・熊皮・ラッコ皮といった毛皮類と交換し，それを松前に持ち帰って和人商人へ売ることで，藩士たちは生活の資を得ることができた。このほか，アイヌたちが松前城下に品々をもたらす城下交易も行われていた。

図2　毛皮と衣服を交易する山丹人（「東韃地方紀行」中巻。国立公文書館蔵）

ただし，アイヌ側から見れば松前藩は交易相手のひとつに過ぎなかったという点には注意が必要だろう。北太平洋の各地では，先住民同士の活発な交易が展開されており，アイヌも多様な交易を展開していたのだ。ここでは，そのなかの山丹交易と千島交易に着目してみよう。

北の「絹の道」，「毛皮の道」

　山丹交易とは，中国からアムール川下流域・カラフト・蝦夷地を経て，松前へとつづく交易ルートである。17世紀に中国の支配者となった清朝は，康熙帝（1654～1722，在位1661～1722）の時代，アムール川沿いに南進していたロシア人と戦ってその勢力を追い払い，1689年にはネルチンスク条約を結んで国境を定めた。そしてアムール川下流域を直轄領として役人を派遣し，そこに住む山丹人（おおむね現在のウリチという民族）を朝貢貿易体制に組み込んだ。

　山丹交易は次のように展開された。山丹人が朝貢して清朝の臣下になると，役人から装身用の玉，中国製の官服や絹などが下賜される。すると山丹人は交易の旅に出て，これらを商品として周囲の諸民族に売りさばく。その交易の旅の目的地のひとつがカラフトであり，同島の各地で山丹人とアイヌとの交易が展開されるのである。山丹人の目当ては，貂・水獺・狐などカラフト産の毛皮に加え，アイヌたちが松前藩から入手した日本の商品だった。

　山丹交易でアイヌが獲得した中国製品の玉や官服，絹は，松前藩経由で日本にもたらされ，蝦夷錦とよばれて珍重された（第1巻212ページ参照）。いわば北の「絹の道」である。近世日本は清朝との間に国交を結ぶことはなかったが，長崎や琉球，さらに山丹交易でも中国とつながっていたのだ。

　一方，目を東に転じると，千島列島でも島づたいに先住民の交易ルートが伸びていた。千島列島においては，エトロフ・ウルップ両島間が文化的な境界となっており，エトロフ島以南には北海道アイヌが，ウルップ島以北には千島アイヌが居住していた。千島アイヌとは，言語や生活様式の面でカムチャッカ半島の先住民カムチャダールの影響を受けた人々であり，18世紀以後はロシア正教に入信する者も多くいた。この文化的境界を越え

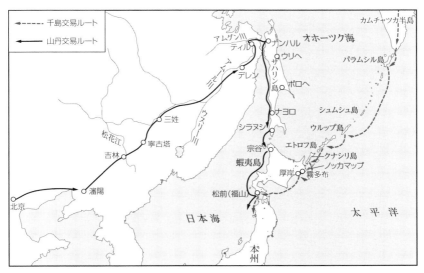

図3　山丹交易と千島交易（『蝦夷地の征服』所収の地図を一部改変）

て，千島列島の南北を結んだこのアイヌ同士の交易を「千島交易」とよん
でおこう。

　千島交易におけるおもな交易品は，当時大きな商品価値を持っていたラ
ッコ皮だった。ラッコは地上で最も体毛の密度が濃い動物とされており，
その柔らかく暖かな毛皮は防寒具として最上の価値があったからだ。千島
交易は，いわば「毛皮の道」だったのである。

　したがって，交易はまず世界有数のラッコの生息地だったウルップ島に
て猟を行い，毛皮を獲得するところから始まる。山丹交易のような官営事
業ではないため交易の手順はさまざまだったが，たとえば千島アイヌが毛
皮を携えて来てエトロフ島で交易したり，逆にエトロフ島のアイヌがウル
ップ島に赴いてラッコ皮を得，クナシリ島で交易を行ったりした例が確認
できる。

日露両国の進出

　しかし，「交易民」としてのアイヌの存在は，18世紀末に大きな転機を
迎える。清朝が国力の減退とともに山丹交易への熱意を失っていく一方，

図4　イタオマチㇷ゚に幕府役人を乗せるアイヌ（谷元旦「蝦夷紀行附図」函館市中央図書館蔵）

南北から日露両国がアイヌ居住地に力を伸ばしてきたためである。

　従来，日本では蝦夷地を「異域」として扱っていたものの，1669（寛文9）年のシャクシャインの戦い鎮圧後，松前藩はアイヌを次々に服従させていった。また，和人商人たちが蝦夷地に進出して商場（場所）の経営を担うようになると，和人社会との経済的な結びつきも強固になっていった。

　さらに決定的だったのは，蝦夷地のかなたに異国の存在が明らかとなったことである。1785（天明5）年から翌年にかけて，幕府は役人をカラフト・千島列島を含む蝦夷地全域の調査のため派遣した。その結果，千島方面におけるロシア人の接近が明白となり，またカラフトにも山丹人が自由に往来していることが明らかになった。特に，キリスト教国であるロシア人の接近が最上徳内（1755〜1836）によって報じられたことは，国内に禁教政策を徹底していた幕府にとって由々しき事態だった。

｜「国境」の登場とアイヌ社会の分断

　ロシア人の接近を知った幕府は，19世紀初頭，松前藩から蝦夷地を収公して直轄支配下に置くことを決する。その際，従来のように蝦夷地を「異域」と位置付けるのではなく，カラフトや千島列島に「国境」を設定して囲い込み，領土権を強化する道を選んだ。アイヌに対しキリスト教禁令を発布

するなど，和人の百姓と同列に扱う場面もじょじょに見られるようになる。

　カラフトについては，1809（文化6）年，間宮林蔵（1775～1844）の探検によって大陸と切り離された島であることが判明したのを機に，幕府はカラフトの公称を「北蝦夷地」と改めて事実上の領有宣言を行っている。また，カラフト南部に出張所を設置し，山丹交易を幕府管理下の官営交易に移行した。このとき幕府は山丹人に負債を抱えているアイヌを保護するが，同時にアイヌを交易ルートから締め出してしまう。

　他方，ロシア勢力のせまる千島列島では，さらに厳重な対応がとられた。幕府はロシア人の入植が進んでいたウルップ島以北を「異国」，千島アイヌを含むその住民を「異国人」として扱うこととした。さらに1803（享和3）年には，アイヌたちにウルップ島への渡航を禁じてしまう。千島交易ルートの遮断である。

　その結果，ウルップ島に隣接するエトロフ島は，国境最前線に位置付けられた。幕府は1807（文化4）年までに同島のアイヌ男性全員に日本の風俗（髪を結い，髭を剃り，和服を着せるなど）を押し付け，有力者たちを村役人に任命した。エトロフ島以南が日本の支配下にあることを演出したのである。

　こうして従来よりもはるかに厳重な「国境」管理が敷かれた結果，先住民による自由な交易の時代は終幕を迎えた。こんにちアイヌを「狩猟民族」と表現する例がたびたび見受けられるが，それは彼らが交易から締め出され，「交易民」としての姿を失った結果でもあることを忘れてはならないだろう。

■参考文献
ウォーカー，ブレット（秋月俊幸訳）『蝦夷地の征服1590-1800―日本の領土拡張にみる生態学と文化―』北海道大学出版会，2007
榎森進『アイヌ民族の歴史』草風館，2007
菊池勇夫『エトロフ島―つくられた国境―』吉川弘文館，1999
佐々木史郎『北方から来た交易民―絹と毛皮とサンタン人―』NHKブックス，1996
関口明・桑原真人・瀧澤正・田端宏編『アイヌ民族の歴史』山川出版社，2015

第**4**章

19世紀の世界

19世紀前半

ロシア領
アラスカ

イギリス領カナダ

アメリカ合衆国

サンフランシスコ

太 平 洋

ハワイ諸島

メキシコ

ハイチ

コロンビア

ブラジル

ニューヨーク

ワシントン

大 西 洋

イギリス
ロンドン

フランス
ポルトガル
スペ

150°　120°　　　　90°　　60°　　30°　　0°

イギリス領	フランス領
スペイン領	ポルトガル領
オランダ領	国境は1850年ごろ

→ ペリーの航路
（1852年11月出発）

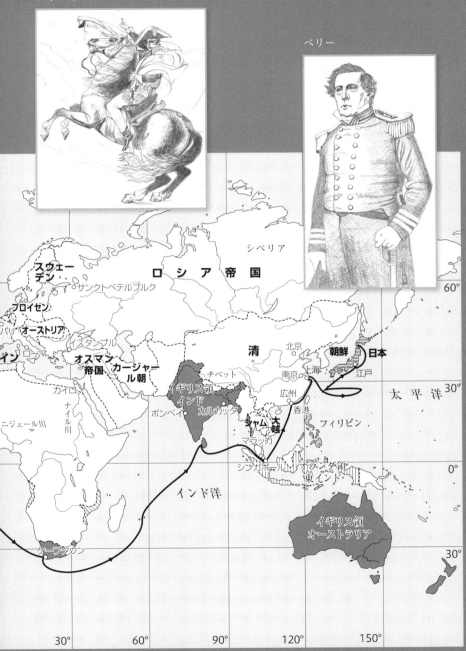

ナポレオン

ペリー

シベリア

ロ シ ア 帝 国

スウェー
デン

サンクトペテルブルク

プロイセン

北京

清

朝鮮

日本

パリ
ローマ

オーストリア

イスタンブル

南京

上海

江戸

オスマン
帝国

カージャー
ル朝

チベット

イギリス領
インド

太 平 洋

30°

ボンベイ

カルカッタ

広州

カイロ

ニジェール川

ナイル川

シャム

大越

香港

フィリピン

マラッカ

シンガポール

オランダ領
東インド

0°

イギリス領
オーストラリア

インド 洋

ケープタウン

30°

30°

60°

90°

120°

150°

60°

0°

30°

19世紀の日本―東アジア―世界

佐野 真由子

　19世紀の日本の歴史は，何よりも「開国」のプロセスにほかならない。「開国」は，1853年のペリー来航と翌年の日米和親条約締結，また，1858年に米・英・蘭・露・仏との間でそれぞれ結ばれた修好通商条約（安政の五か国条約）といった，典型的な事実によって語られてきた。が，より実質的には，19世紀を通じて進行し，人々の物の見方を変えていった，長いプロセスとして捉えるべきだろう。

　本稿では，徳川幕府のもとで始まったそのプロセスが明治維新後の社会に引き継がれる以前，1860年代半ばまでを主な対象として，日本の変化を，当時必然的にそうであったように，東アジア，そして世界の動きのなかで見る視野を設定しておきたい。

「開国」する日本

　1811年，徳川幕府が「通信」の関係を維持してきた朝鮮王国から，歴代12回目の通信使が派遣された。慣例に従い，第11代将軍家斉の襲職を祝うためである（ただし江戸ではなく，対馬での聘礼）。この一行は，結果として史上最後の朝鮮通信使となった。とはいえ，こののち幕末に至るまで，幕府内で対朝鮮関係についての議論が途絶えたことはない。日本の国際環境は，「隣好」態勢を維持したまま，西洋との関係を加えて多元化を見る。

　「異国船」は前世紀から日本近海に現れていたが，19世紀になるとその頻度は格段に増加した。なかでも1808年に長崎で起きたフェートン号事件は，江戸時代を通じて幕府の厳格な管理の下にあったその地に，オランダ船を偽ってイギリス船が入港し，乱暴を働くという前代未聞の経過をたどった。それはヨーロッパで終息しつつあるナポレオン戦争の一端であったという点において，日本をめぐる国際認識の更新を迫るものであった。

　こののち幕府は異国船打払令（1825）を出すなど対外強硬的な姿勢を見せ，1828年，禁制品であった日本地図の持ち出しを理由にオランダ商館医シーボルトが国外追放された著名な事件も，まずは同様の方向を示している。事件をきっかけに，恒例のオランダ商館長江戸参府も中止が検討された。しかし，それでは「御

国量（国の度量）」が狭いように映るではないかとの意見が幕府内から出て，日蘭交流の伝統は維持されたのである。主張したのは，時の町奉行で，長崎奉行の経験もあった筒井政憲。この時期に登場し始めていた，自国を外からの視点で見ることのできる人材が，1850年代に至って本格化する日本の，いわば「国際化」路線をリードすることになる。

　清国で起きたアヘン戦争と，その敗戦処理として，清がイギリスへの香港割譲，また他の西洋諸国へも上海など5か所の開港を余儀なくされた南京条約（1842）の報は，すぐに日本にも届いた。約10年後，ペリーの「黒船」を皮切りに，いよいよ日本に対しても西洋諸国の本格的な開国要求が始まったとき，徳川幕府は，保守派ないし対外強硬派との確執を抱えながらも，筒井以下，永井尚志，岩瀬忠震ら，すでにその内部に育っていた一群の開明派幕臣たちを中心に，現実的な対応を見せていく。

　当初，西洋諸国の使節は，一時的に来航しては去るものであった。が，それら先行の使節が結んだ条約に基づき，領事や外交官が国内（長崎，下田，箱館，そして1859年からは江戸および横浜）に駐在を開始したことは，日本の対外関係の一大変化であっただけでなく，日々の業務で彼らと接する幕府の役人らはもちろん，生活のなかで彼らを目にすることのあった少なくとも一部の民衆に，世界認識の決定的な変換をもたらしたと考えられる。

　1857年，アメリカ総領事ハリスを初めて将軍が江戸城に迎えるにあたり，幕府では，その様子が当時なりの手段をもって速やかに「海外万国へ伝播」されるという明確な意識のもと，準備が行われた。あるいは1861年，イギリス公使オールコックが翌年のロンドン万国博覧会のため，日本の出品を助けるとして，自ら大坂など各地で買い物に勤しんだとき，商人や製造者が彼の手に渡す品物は，俄かに海外で日本を代表するという性格を帯びることになった。

新たな「東アジア世界」の形成

　徳川幕府はこうして，国内に反対勢力を抱えながらも西洋世界と付き合い，かつ参入する方向へ，早期に動いた。このことは従来，無知な為政者らが西洋諸国に圧倒された結果と解されてきたが，むしろ，「鎖国」下においても比較的多くの西洋事情に触れ，長崎を中心に対外実務の経験豊富な人材を擁していたという積極的な条件の上になされた，実際的な判断であったと捉えられる。

　そのような日本の存在は，中国皇帝を頂点とするこの地域の伝統的な秩序にとって，両刃の剣であったと言えよう。清は，1833年には広東にイギリスの貿易監

督官を置くことを認め，1844 年以降は 5 港に西洋諸国の領事を迎えていた。しかし，首都北京に外交官が駐在しうるようになったのは 1860 年，さらに，他国との対等な国際関係の成立を象徴する近代外交儀礼が初めて実施されたのは，1873 年である。これに対して日本は，1857 年には既存の日朝関係の儀礼をモデルに江戸城でハリスを迎接し，アメリカ側はそれを国際法に則った行為と評した。

このことは一方で，東アジア域内で維持されてきた関係性と，西洋の国際関係における基準とが，日本を蝶番として円滑に連結しえた可能性を示している。しかし同時に，日本がそうして西洋諸国との近代的外交関係を早期に開始したことが，伝統的な域内秩序を終焉に導くことになる。

「国と国」の関係が東アジア内部で大きな変化の兆しを見せたのと並行して，新たな「東アジア世界」の形成を担ったのは，西洋から活躍の場を求めてやってきた人々である。前世紀から中国沿岸に地歩を築いていた商人や宣教師らに，とくにアヘン戦争以降は香港総督や各港領事などの公的人材が加わり，東アジアに権益と土地勘を持つ人々のコミュニティーが形成されていた。1850 年代に日本が開国したとき，最初に流れ込んできたのは主にそれらの人々であった。

彼らは，ジャーディン・マセソン商会のような存在を典型として，たとえば上海と横浜の間を行き来して事業を拡大し，また外交官らの人事も，たとえば広東から江戸へ，また江戸から北京へと，域内で異動が発令されるケースが多かった。現地側の日本人や中国人の発想を超えて，東アジアを一体的に捉えて活動し，その過程で，自ずと域内各地の文化を流動させ，共有させていったのである。

三層構造の世界

このような行き来を可能にした大前提は，この時代における交通手段——主に蒸気船——の発達にある。先んじてそれを得た西洋では，大量の新しい情報が遠隔地からもたらされ，そのことがさらに知識への欲求を生んだ。貿易によって世界の多様な物産が流入しただけでなく，アジアなどへ派遣される外交官は同時に探検家の役割を果たし，地理学，また植物学や博物学の進歩に貢献した。

世界を広く展望することへの希求を具現化した万国博覧会という催事が創始されたのは，1851 年，産業革命を経たロンドンでのことである。僅かの差ながら「黒船来航」前であった日本はそこに招かれるべくもなかったが，1862 年，同じロンドンで二度目の万博が開催される際には，万博の一般的なルールである外交ルートを通じた出品招請が日本にも届き，初めてその「世界」に参画を果たした。

同じ場には，インドやオーストラリア各地をはじめ，30 か所にのぼるイギリス

植民地が出展し，他の列強国も植民地を率いて参加していた。そこにははっきりと，独立諸国と植民地群に色分けされた世界の構造が表われていた。

日本はその「世界」に，39の独立参加国の一つとして登場したのである。ただし，それらのなかには，英仏を中心とする，いわばフリーハンドの独立国と，辛くもその列に加わり，西洋の視点から見た異国情緒に訴えて注目を

図1　1862年ロンドン万博の日本部
(*Illustrated London News*, 1862年9月20日)

集め，国際社会における地位を維持，向上させていかなければならない国々が含まれていた。日本は後者，つまり，万博が映し出した三層構造の世界における第二層の典型例として，以降の歴史を歩むことになる。

■　■　■

19世紀の世界の歴史は，非西洋にとっての「西洋の衝撃」によって特徴づけられてきた。しかし，非西洋の一例として，日本でこの時期を生きた人々の足跡をたどれば，それは単に「衝撃」であったというより，一定の準備の上に，異文化と折り合いをつける必要とその術が吸収されていく，まさに「開国」のプロセスであった。同時に，「西洋的」とされる諸習慣も，日本で近代外交儀礼が開始された経過によく表われているとおり，世界各地の異なる伝統と出会って折り合いをつけ，実のところ，その文化的許容度を広げざるをえなかったのである。

この後に続く世界の「近代化」は，その基準と見なされた「西洋」も，それを受け入れたとされる側も，互いに可変的であったことによって進行した。19世紀という時代，人と人の具体的な交流が広い範囲で発生したことが，そうした変化を可能に，そして不可避にしたと考えられる。

■参考文献
佐野真由子『幕末外交儀礼の研究―欧米外交官たちの将軍拝謁』思文閣出版, 2016
三谷博・並木頼寿・月脚達彦編『大人のための近現代史　19世紀編』東京大学出版会, 2009
横山伊徳『開国前夜の世界』吉川弘文館, 2013
劉建輝『日中二百年　支え合う近代』武田ランダムハウスジャパン, 2012
Robert S.G. Fletcher, and Robert Hellyer, eds., *Chronicling Westerners in Nineteenth-Century East Asia: Lives, Linkages, and Imperial Connections*, London: Bloomsbury Publishing, 2022

江戸のナポレオン情報の流入とその後

岩下 哲典

海外人物伝

　江戸時代における海外人物伝への関心は，海外の歴史に興味をもった蘭学者・洋学者（以下，洋学者）の存在があったから生じた。彼らが訳述した人物伝は，蘭学・洋学（以下，洋学）の人文分野への学問的波及ととらえられる。

　結論からいうと，現実社会からの要望に洋学者らが応え，社会に人物伝が普及し，さらにそれを読んだ人物が逆に社会に影響を及ぼしたといえる。そうなると，学問的には日本はもはや「鎖国」とはいえないのである。

　例えば，津山藩医にして蕃書和解御用の箕作阮甫（1799〜1863）の養子となった省吾（旧姓佐々木，奥州水沢出身。1821〜1847）が訳述し阮甫が

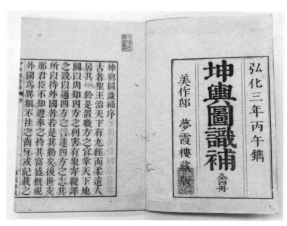

図1　坤輿図識補（京都外国語大学付属図書館蔵）

協力した，1846年刊行の『坤輿図識補』には，アレクサンドロス大王，ア
リストテレス，ピョートル大帝，ナポレオン（1769〜1821）の伝記が収録
されている。同書は，よく売れて，箕作家の家計を潤すとともに吉田松陰
（1830〜1859）など幕末人士の西洋知識に多大な影響を与えた。

　また，江戸時代後期には，イスラーム教の創始者ムハンマドやオランダ
海軍提督デ・ロイテル，アメリカ合衆国初代大統領ワシントン（1732〜
1799）なども大いに関心がもたれた。それらのなかでも，フランス皇帝ナ
ポレオンは江戸時代において最も重要な西洋人物であり，その伝記は社会
が求めたものだった。

▌情報は北から来た

　一般に江戸時代の定期的な海外情報には，長崎のオランダ商館がもたら
すオランダ風説書のほか，アヘン戦争情報を契機のひとつとして提出され
るようになった別段風説書，同じく長崎の唐船や唐人屋敷の中国人が伝え
た唐風説書があった。これらは長崎奉行から江戸に送られ，江戸の長崎奉行，
その上級役職者勘定奉行・老中・若年寄などが閲覧できた。また幕府外交
に携わる役目の儒者林大学頭，海防掛なども見ることができた。

　ところが，ナポレオンの初情報は，長崎ではなく北方の蝦夷地からだった。
1811年国後島に軍艦ディアナ号で来日したロシア海軍士官ゴロウニン艦長
（1776〜1831）は，うかつにも日本側に捕縛・監禁された。一行中の士官
ムール（？〜1813）は，脱獄したゴロウニンには従わず，一人獄中に残った。
そこでムールは「獄中上申書」を幕府に提出したが，ここには，日本に残
りたい旨が記されていた。さらに，ロシアや露米会社（ロシア皇帝を大株主
とする国策会社），ロシア海軍の動向やナポレオンの情報が認められていた
のである。すなわち「フランスの現在の帝王の名前はナポレオンといい，
かつては身分の低い士官であったが，用兵術にすぐれた人であったので，
ついに高官に上り，イタリアならびにエジプト地方で勝利し，帰国して，
コンスウ（コンスル）という第一等の官職に上り（後略）」などが詳細に記さ
れていた。さらに「オランダは悪いところがあるので，はじめ半分を管理し，
半分をオランダと称していたが，その後また全部を併呑した」と初めて日

図2　ムール（右から3人目。「俄羅斯人生捕之図」部分，早稲田大学図書館蔵）

本側にオランダがフランスに併合された事実を伝えたのである。

　これらナポレオン情報は翻訳したロシア語通詞村上貞助<ruby>貞助<rt>ていすけ</rt></ruby>らが注目した。なぜなら，幕府は，フランスをカトリックの国として理解していたから，それが事実とすれば，幕府としては禁教令上，オランダとも通商のチャネル（長崎貿易）を閉鎖しなければならないからである。

　そして1813年にはディアナ号に残った副艦長リコルドから獄中のゴロウニンらに差し入れられたロシア語新聞から，アムステルダムがナポレオン帝国第三の都市になったとする情報が提供された。早速幕府は長崎のオランダ商館長にこの件を問い合わせた。すると商館長はそうした事実があるかもしれないが，我々は関知しないと木で鼻をくくったような回答をした。

　これらのことから，幕府天文方・蕃書和解御用の高橋景保<ruby>景保<rt>かげやす</rt></ruby>（1785〜1829）は，続報を求め続けた。ロシアに帰国したゴロウニンが日本での苦難の日々を自分に都合よく書いた『日本幽囚記』のオランダ語版が1821年に日本にもたらされた。高橋らは日本語に翻訳して翌年『遭厄日本紀事』として完成させたのである。その時，天文方が翻訳で参考にしたのが，ムールの「獄中上申書」だった。両者の違いに気づいた高橋らは，「獄中上申書」を欧州で出版すべく準備を始めた。高橋はムールの思いをヨーロッパの人々

にも知ってもらいたかったのであろう。

　一方，高橋は1826年，ナポレオン戦争に従軍した商館長スツルレルからの聞書きをナポレオンの伝記「丙戌異聞」にまとめた。さらに，オランダ語原書から洋学者青地林宗（1755〜1833）・オランダ通詞吉雄忠次郎に翻訳させて，ワーテルローの戦いを中心とした「別勒阿利安設戦記」を完成させたと考えられる。前者は，ペリー来航前に吉田松陰が書写し，幕末志士に大きな影響を与えた。後者は戦勝国オランダの青少年向け宣伝文書であった。両者セットで後世に伝わった。

　そして高橋らは，先に述べたようにムール「獄中上申書」の底本をオランダ語訳して欧州での出版を企画した。1828年のシーボルト事件で高橋はじめ天文方が弾圧を受け，高橋は獄中で死去し，出版企画は頓挫した。

長崎からのナポレオン情報とその後

　ところで，1818年，たまたま長崎に遊びおさめにやってきた漢詩人頼山陽（1780〜1832）はオランダ人からナポレオン情報を得て，「仏郎王歌」を詠み故郷広島に伝えた。ナポレオンの文学的受容の最初である。この歌は，1857年に刊行された岸和田藩医・蕃書和解御用小関三英（1787〜1839）の『那波列翁伝初編』巻頭を飾っており，長く日本人に影響を及ぼした。三英は，幕府医官桂川甫周の築地の屋敷で蘭書を読み漁り，ナポレオンを知った。さらに高橋景保の著作にも注目して，1829年頃，「仏郎王略伝」を完成させた。

　その後，三英は「那波列翁伝」の翻訳に取り掛かったが，1839年蛮社の獄勃発前に自殺した。そのため未完成の草稿が残された。写本は流布し，そのひとつ，浜松藩医牧穆中の写本「那卜列翁伝」は，幕末薩摩藩の実力者島津久光（1817〜1887）の手許文庫「玉里文庫」に収蔵されている。

　一方，蛮社の獄で捕縛され，のち切腹した渡辺崋山（1793〜1841）の娘婿松岡次郎は，三英の「那波列翁伝」を，西洋事情を知り海防を考える書として刊行した。巻頭口絵には，菊池樺郷「波利稔王像」を付して，『那波列翁伝初編』として刊行したものだ。同書は，初めて正誤表を付すなど刊行物としても注目される書である。

図3 菊池樺郷の「波利稔王像」
（国立国会図書館「江戸時代の日蘭交流」）

　西郷隆盛（1827 〜 1877）も三英の「那波列翁伝」を秘蔵しており，近年西郷の伝記や映像でナポレオンの影響が強調されている。西洋の圧力から日本を守るために西洋英雄伝が受容されたのである。明治維新の志士らの行動や思考にナポレオンの伝記が一定の役割を果たしていたと認識されるようになった事例である。

　さらに，旧幕臣 向山黄村_{むこうやまこうそん}や同渋沢栄一などはナポレオンへの欽慕から親仏派となったと思われる。また，「江戸無血開城」後，蝦夷地に向かった榎本武揚（1836 〜 1908）の艦隊には幕府御雇フランス人軍事顧問団がいた。彼らのなかのジュール・ブリュネ（1838 〜 1911）は箱館五稜郭の支城四稜郭を設計・築城した。そこまでフランス人を突き動かしたのは，三英・松岡の『那波列翁伝初編』などを読んでナポレオンやフランスのことをよく知っていた日本人が多かったためであろう。つまりフランス人は，幕府内部の親仏派にシンパシーをもっていたと考えられる。同書は明治期の農村でもよく読まれていた。

　以上のように，ナポレオンは，最初は天文方などごく一部の人間にしか

図4　四稜郭（函館市。国土地理院の航空写真）

知られていなかった。しかしながら高橋景保や洋学者三英の著作を通じて，武士階級，さらに一般民衆にもナポレオンの情報は広まり，幕末から明治に至るまで日本人の生き方に大きな影響を及ぼした西洋の最重要人物である。幕末維新の志士たちの中で，ナポレオン的な生き方をした人物がいるとすれば，「那波列翁伝」を読んでいたのではないかと疑ってみたくなる。

■参考文献

岩下哲典『江戸のナポレオン伝説』中公新書，1999
岩下哲典『江戸の海外情報ネットワーク』吉川弘文館，2006
岩下哲典『ムールの苦悩』右文書院，2021
大久保健晴「徳川日本における自由とナポレオン」瀧井一博編著『「明治」という遺産』ミネルヴァ書房，2020
松田清「青地林宗訳ナポレオン伝『別勒阿利安設戦記』の典拠に関する書誌的考察」『神田外語大学日本研究所紀要』11号，2019

愛知の「ものづくり」の
ルーツをたどる

林 順子

▌尾張のとある百姓と町人の会話

　今から240年ほど前，18世紀後半頃の尾張国（現，愛知県西部）で，百姓と町人が昔を振り返りながら近況を語り合っている。彼らの会話に，耳をすましてみよう。

　　百姓「百姓は，昔なら雨の日は蓑笠^{みのかさ}でしのいでいましたが，今は木綿合羽でも短いものでは合点がいかず，傘も出来合いのものではすみません。今の村の風俗は，昔の名古屋より良くなりました。まず枇杷島^{びわ}市場の賑わいを見なさいな。何一つ，無いものはありません。皆，村相手の商いです。」

　　町人「百姓衆の言うとおり，昔と今とは天地の違いです。近年は百姓衆が，農業の片手間に商人の真似をしています。」

　これは，天明3（1783）年，尾張藩士内藤東甫^{とうほ}が名古屋とその近辺の世情風俗の移り変わりを，百姓や町人らに語らせる形で記した「手きね」（岩瀬文庫蔵）の一部を，現在の言葉で書き改めたものである。会話中の「枇杷島」とは，名古屋城下町の北西部郊外に位置する村で，18世紀前半，尾張のあちこちで開催が許可された市場のひとつがここにあった。会話からは，当時，尾張の村々に市場経済が浸透し，百姓の消費需要が高まっていたこと，また，彼ら百姓の中には，新しく商いを始め市場に参入する者もいたことがみてとれる。

　なぜ江戸時代の尾張で，人々が市場に集まり，市場が育っていったのか。物資はどこから供給されたのか。

市場が育つ尾張の特徴

　尾張の最大の市場は，名古屋である。63万石の大大名，尾張徳川家の巨大家臣団が居住する名古屋城下には膨大な需要が生まれ，物資とそれを扱う商人が領内外から集まり，さらなる需要を生んだ。

　尾張の，特に西部（尾西地域）の村での農業経営も，地理的な理由から，市場と緊密に結びついた。尾西地域は，木曽三川によって形成された広大な平野である。ここでは，江戸初期の木曽川堤防治水工事を経て水田開発が進んだが，刈敷などの自給肥料の供給元となる山野が無く，早くから干鰯や〆粕などの金肥を購入する必要があった。また，先の「手きね」には，やはり購入した千歯扱きなどの農具を利用して生産を効率化する百姓の話もある。金肥や農具の購入資金を借り入れ，返済に失敗する者も少なくなかったであろう。

　村では，名古屋城下の武士や町人が消費する農水産品はもとより，酒や醤油，味噌，酢などの食糧加工品，衣料などの服や服飾品，器などの日常雑貨なども，生産されていた。江戸時代より前から常滑や瀬戸では焼き物が生産されていたが，江戸時代には，例えば縞木綿が尾西，酒などの醸造品や晒木綿が知多半島の村々でつくられるようになった。なお，尾張東部から三河にかけての丘陵地や尾張藩領の木曽山の森林資源は，薪や建築などに活用されるほか，高度な加工を施されて名古屋仏壇や団扇などの工芸品となった。今回は触れ得ない愛知県東部の三河も，木綿や瓦，酒，味醂などの醸造品の特産地である。「ものづくり」で知られる愛知県だが，江戸時代の尾張はすでに，多種多様な手工業生産の集積地であった。

　それら手工業製品は，尾張藩領内だけでなく，領外市場にも運ばれ，販売された。五街道のひとつ東海道が名古屋の南の熱田を通り，同じく中山道も尾張に近接する美濃南部を通っている。それら街道に向けて城下から美濃路や佐屋路，上街道や下街道など多くの脇街道が延び，物資運搬に使われていた。熱田や知多半島の海岸でも，領外からの物資を荷揚げし，この地の産物を荷積みして出港する船の姿がみられた（図1）。

　手工業や運送業に従事する百姓は，食糧も含む必要物資を市場で購入し

図1　知多半島横須賀湊（『尾張名所図会』前編巻6，知多郡。国立国会図書館デジタルコレクション）

なければならない。「手きね」で描かれた枇杷島など尾張の村々にたつ市場は，こうした百姓の生産・消費活動の場として規模を大きくしていった。

▍尾張の二つの「工場制手工業」――縞木綿と酒

　ここで，領外市場に向けて生産された尾張の手工業特産品を紹介しよう。

　まず，尾西地域の縞木綿である。『尾張名所図会』に掲載されている，尾西（葉栗郡・中島郡）の織屋で結城縞を織る女性奉公人（織子）たちの姿は，19世紀頃の工場制手工業の様子を示すものとして知られる（図2）。

　その当時，尾西で生産される縞木綿には，桟留縞と結城縞があった。絹綿交織の結城縞は，綿糸のみの桟留縞よりも高い生産技術が必要である。生産しやすい桟留縞は，他の生産地との競合が激しく，尾西織物業の比重は，結城縞へ傾きつつあった。

　ただ，結城縞にしろ桟留縞にしろ，全てが織屋で織られていたわけではない。織子が織屋に勤める年季（雇用契約期間）はおよそ6年から8年間程度であったが，初めの数年間は技術習得の期間であった。習得期間は桟留

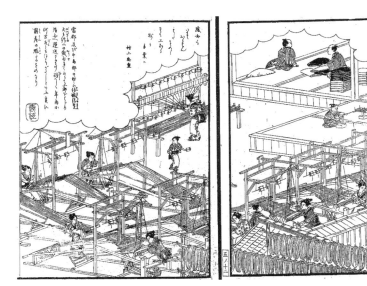

図2　尾西の織屋の様子（『尾張名所図会』後編巻5，葉栗郡。国立国会図書館デジタルコレクション）

縞なら1年程度だが，結城縞は2，3年もかかった。そして，約束の年季が明けると熟練の織子たちは，それぞれの実家に戻り，織屋から織機と原料を渡されて縞木綿を織った（出機）。高度な技術を要する結城縞は特に，出機で織られることが多かった。つまり，尾西織物業では，工場制手工業と問屋制家内工業が混在しており，結城縞に関しては，むしろ後者の比重のほうが高かったのである。なお，織子たちの出身地は，尾西地域だけでなく木曽川をはさんだ美濃西部地域にも広がっており，ほとんどが貧農層であった。貧しい親は，娘を織子として送り出すときに織屋から前払い賃金を受け取った。また，親には，年季が明けて戻ってきた織子が，出機として家における重要な稼ぎ手になるであろうとの期待もあった。それぞれの家における女性の立場は強いものではなく，当時の記録には，年季明け前の織子が，父親の病気看病のためと実家に連れ戻され，そのまま江戸に遊女として売られてしまったというケースも見られる。

　そうした悲惨さはないが，明治期にも名古屋に創設された愛知織工場で士族の女子たちが技術を学び，織工場の分場や民間の工場で職を得ている。

ひとつの工場に集まり賃金を得て生産するという点では，両者は類似しており，産業革命前夜の姿と捉えられなくもない。ただ，日本では，1880年代繊維産業の中で輸入機械を生産に導入した紡績部門が突出して工業化を果たし，製糸や織布は大きく遅れるなど，部門によって工業化に差がある。日本の産業革命がイギリスと同じものではない点には留意されたい。

　つぎに，縞木綿に並ぶ尾張の特産品として，知多半島の酒を紹介する。ちなみに，ソニーの創業者の一人盛田昭夫を輩出した現在の「盛田」酒造，盛田久左衛門家は，1665年に知多半島の小鈴谷村（現，常滑市）で創業した老舗の酒屋である。

　知多を含む尾張の酒は，18世紀半ばから江戸市場への販売を拡大した。酒造先進地の摂津を中心とするいわゆる上方酒は，熊野灘を通過するときに海難事故にあうことも多く，尾張の酒は江戸市場への安定供給に一役かっていたのである。1792年，物価統制を目的に幕府が江戸の酒樽入荷量を生産地ごとに割り当てたとき，全体の75％を占めた摂津に続いて，尾張と三河が合わせて20％，12万樽の割り当てを受けた。知多酒の業績は，その後一時低迷するが，19世紀半ば，技術革新に成功して上方酒の品質に近づき，また，江戸の酒問屋からの要請で，剣菱など上方酒に似た商標を使う類印商法をとることで，再び成長に向かった。

　織屋での生産と家内生産が併存する縞木綿と異なり，生産工程を細分化し，それぞれの工程で釜，槽，桶などの特殊な大型設備を用いて効率化を図る酒造は，酒屋のもとで一手に生産されていた。杜氏などの醸造に関わる高度技術者は，知多半島や三河の宝飯郡，幡豆郡からも集められた。各酒造工程で必要な桶や樽，樋などの設備を製造する職人も，知多の百姓たちであった。最も多くの百姓が雇用されたのが，精米作業である。精米に水車を用いる摂津と異なり，知多では足踏み方式をとっており，大量の労力を要した。この作業には，北陸地方の出稼ぎの百姓も加わっていたと言う。

▌「ものづくり」を支える物流構造

　最後に，尾張と江戸の間との物流構造をみておきたい。伊勢湾沖合の難船記録をみると，江戸行きの船の積載品には，木綿や，酒，味噌，溜醤油，

酢などの加工調味料，瀬戸焼や常滑焼，そして酒造精米で排出されて肥料となる糠などが，一方尾張行きの船の積載品には，干鰯や〆粕といった魚肥のほか，溜用・酒用の空樽，水戸の大豆などがみられる。入荷した魚肥は，棉作や酒造の原料となる米作などに投入され，空樽は酒や溜の出荷に使われ，大豆は味噌や溜醤油の原料となった。原料を移入し，加工し，製品として出荷する形は，現在の愛知でもみられる物流構造である。

　もちろん，技術の近代化，生活文化の欧米化，海外生産地との競合から，産業構造に変化はあるが，織機に始まる機械産業，醸造業から発展した食品産業など多様な産業が混在する愛知県の「ものづくり」のルーツは，江戸時代に遡れると言って良いだろう。

■参考文献
愛知県史編さん委員会編『愛知県史』通史編4近世1，愛知県，2019
尾西市史編さん委員会編『尾西市史』通史編上巻，尾西市役所，1998
林英夫「〈資料〉泥江邑隠士「手きね」（天明3年）」林董一編『新編尾張藩家臣団の研究』国書刊行会，1989
半田市誌編さん委員会編『半田市誌』本文編，1971

太平洋捕鯨時代の日本

都築 博子

アメリカ太平洋捕鯨から見た日本

　アメリカ捕鯨産業の最盛期は，1820年から1860年頃である。ハワイ王国近海と日本沿岸から琉球王国と小笠原諸島を含む「ジャパン・グラウンド」と呼ばれた海域で多数のマッコウクジラが発見されて，捕鯨漁場の中心が太平洋となったからだ。アメリカ捕鯨産業の繁栄の遺産は，大西洋に面した東海岸の主要な捕鯨船基地の港町に現存する。例えば，ニューベッドフォード捕鯨博物館，ナンタケット島の捕鯨博物館，ミスティック・シーポート博物館，セーラムのピーボディー・エセックス博物館などである。また，太平洋地域では，ハワイ王国時代の古都でもあったラハイナのホエーラーズ・ビレッジ博物館やホノルルのビショップ・ミュージアムなどがある。有益な情報の航海日誌・記録は，宣教師や知識人によって編集された。捕鯨船員を含むシーマン（船乗り）が執筆した手紙や紀行文や随想などは，海洋文学となった。実体験を基にしたクジラや捕鯨に関する作品の一例として，ハーマン・メルヴィル（1819〜1891）『白鯨』，エドガー・アラン・ポー（1809〜1849）『ナンタケット島出身のアーサー・ゴードン・ピムの物語』，サミュエル・ラングホーン・クレメンズ（マーク・トウェーン，1835〜1910）『ハワイ通信』などがある。さまざまな分野の「発見」題材が，現代のわれわれにも提供されている。日本人や日本に関する記載も多く，外から見た日本や日本人観を研究するのに有用だ。

　帆船でしか海を渡ることができなかった時代に，未知の地域に入り，踏査し，新しい「発見」をする「ディスカヴァリー・ビジネス」があった。それは，経済利益が原則である。航海することは，「地理的発見」をするこ

図1　1833年に描かれたハワイ諸島近海の捕鯨の様子（イェール大学美術館蔵）／Alamy

とで，同時に，新しい交易地・交易ルート・商品を「発見」することであった。この「経済的発見」は，目的地で何らかの経済活動を行ない，採算をとらなければならない。当時は，航海そのものの経済利益と共に何かを「発見」しなければならなかったのだ。

　欧米諸国が，産業革命期にクジラを重要な経済資材として「発見」した。鯨鬚（くじらひげ）は，鞭（むち），杖，櫛（くし），ブラシ，傘の骨，コルセットなどファッション産業で需要があった。鯨歯は，調理や食事の道具，ネックレスにもなった。鯨歯や鯨骨に細密画を描く，スクリムショー（慰み細工）など独特な芸術作品も特産された。鯨油は，石鹸，光源として蝋燭（ろうそく）や街路灯の油や潤滑油として利用された。クジラが，市場経済に組み込まれていったのだ。産業革命期に石炭などがエネルギー源となる「鉱物資源依存経済」へと変容する過程で，イギリスでも活用され，アメリカでも1859年にペンシルヴェニア州のタイタスビル付近で油田が発見されるまで，クジラに経済価値が見出されていた。そのため「ヤンキー・ホエーラーズ（船と捕鯨者の集団）」の経済活動が，クジラの生息する世界中の海やその海域の陸へと拡張したのだ。

太平洋探検海域の日米の「非対称性」

　日本近代国家形成の礎は，「ペリー来航」や「黒船来航」に表象されるように，異国船（「外国船」）が日本に航行もしくは来港したことが契機となった。19世紀前半の太平洋に関する書籍を一番多く出版していた欧米諸国は

フランスで，85 冊であるが，アメリカは，9 冊のみである。日本が幕末「開国」期と称している時代の太平洋や太平洋島嶼は，欧米諸国にとっての「未開の地」で，海図も乏しく科学的に本格的に調査されていない海域であった。

　1846 年以前は，アメリカの領土が，太平洋まで到達しておらず，国内情勢に多くの関心が寄せられていた。1845 年にテキサス，1846 年にオレゴン，1848 年にカリフォルニアへと西への領土を獲得し，太平洋沿岸まで到達した。しかし，しばらくアメリカ政府は，太平洋進出に積極的ではなかった。また，当時の多くの世界地図は，地球を俯瞰することができなかったので，知識や情報が多い場所や関心のある場所が詳細に描かれている。当時の人々が何に関心があったのか，端的に示されている。世界地図の多くは，ヨーロッパ中心で，太平洋が両脇にある。これらの地図は，太平洋全体を把握することが難しく，日本を含めたアジアは，元来「極東」に位置していた。

　しかし，主な捕鯨場が太平洋中心になると，太平洋のどこに，どのクジラがいるのか，直ぐに把握できるように太平洋を中心に描く世界地図も発行された。陸の港（点）だけでなく，海域（面）まで視野を拡張させることができたのだ。太平洋で活躍するヤンキー・ホエーラーズは，アメリカから見た海を中心に，太平洋の西側を「極西」と捉えて，他の国に港を開放していない極西の「日本（諸島）」を注視した。

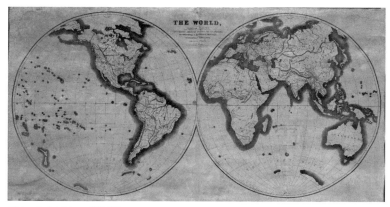

図2　1843年の世界地図　学校の地理や歴史の講義や宣教師の会議で使用できるように作成された。／Map reproduction courtesy of the Norman B. Leventhal Map & Education Center at the Boston Public Library

　一方，江戸時代の日本は，海禁政策（いわゆる「鎖国」）により，人々の移動規制をして，大船建造を許可していなかったので，内向きであった。また，ナポレオン戦争以後は，長崎に来航する交易船は，オランダの国旗を掲げていても，実際は，アメリカ船である事例もあった。日本に来港した「異人」たちや「異船」の国籍をオランダ商館が隠していたこともあるので，アメリカや太平洋を正確に把握することが，難しかったのだ。

太平洋捕鯨がつなぐ日米関係

　航海には多くの危険が伴う。例えば，台風やしけ，不十分な海図による事故，海賊の襲撃，船内での暴動，病気などである。寄港地においても，トラブルに巻き込まれることや，トラブルを起こすこともある。海難で困窮しているのに，寄港地の人々から非人道的扱いされるという受難もあった。捕鯨船員たちの救助や船員の生命・財産の保護や通商利益の追求（市場開拓）のために，各地にアメリカ領事館が開設されていく。

　1854年までに太平洋地域に開設された領事館を年代順に記述すると，バ

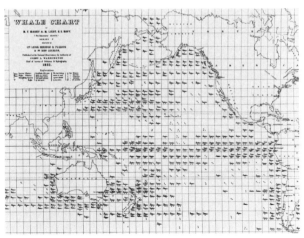

図3　1851年に作成された太平洋を中心とした捕鯨漁業地図（部分，アメリカ海軍 Maury, Matthew Fontaine（1806-1873）が作成。アメリカ海軍歴史・遺産コマンド U.S. Naval History and Heritage Command 蔵）

タヴィア（1801），マニラ（1801），ホノルル（1820），タヒチ（1835），ベイオブアイランド（ニュージーランド，1838），ホバート（オーストラリア，1842），アピア（サモア，1844），ラウルハラ（フィジー諸島，1844），香港（1845），上海（1846），厦門（1849），ラハイナ（ハワイ，1850），ヒロ（ハワイ，1852），メルボルン（1852），グアム（1854）などである。

　日本にアメリカの領事館が開設されたのは1856年なので，太平洋地域の中では遅い方である。アメリカが太平洋地域と締結した条約と同様に，日米和親条約（神奈川条約），琉米条約，下田追加条約の中には，船員や漂流民の救助，必要物資の供給の規定や領事外交官の駐在に関する規定がある。また，アメリカ最初の日本駐箚総領事であるタウンゼンド・ハリス（1804～1878）は，太平洋地域に多数存在した領事と同様に商人出身である。ハリスは，貿易から利益を得ることを推奨し，積極的に日本との貿易を推進した。

　19世紀のアメリカの対外政策は，最初に海軍が，国交が結ばれていない国や地域へ来航して現地調査を実施する。必要なら条約締結の交渉をするために，海軍もしくは領事が派遣されるという過程を辿ることが多い。国家間の公式外交だけでなく，民間の動向にも着目することで，より太平洋の日米間をつなぐ世界が見える。日米の政府間の交渉以前に，ハワイ王国から民間の援助を得て，「日本への遠征」を果たした中浜万次郎（1827～1898）の存在も見逃せない。

　ヤンキー・ホエーラーズに救助された中浜は，アメリカ東海岸で教育を受けて，1851年に帰国後，日本にとって貴重な西洋の情報源となった。一民間人の中浜のような漂流民がヤンキー・ホエーラーズに救助されることによって，友好的な日米関係の礎がアメリカ捕鯨産業最盛期にサンドウィッチ（ハワイ）諸島でも形成されていたのだ。漂流民は，1837年のアメリカ帆船モリソン号の事件など交渉の道具として度々利用されたこともあった。しかし，中浜のように自らの意志で日本に帰国して，日米を友好関係にしようと尽力した民間人もいたのだ。一方「異国」に留まった漂流民も大勢いた。例えば，中浜と一緒に漂流して，ハワイ諸島に滞在した重助と寅右衛門と五右衛門は，ハワイ王国で帰化している。また，漂流民千太郎は，

ホノルルに長年滞在し，「元年者」のために，通訳をしている。「元年者」とは，「明治元年渡航者」の意で，明治元（1868）年にサイオト号で横浜港を出港し，ホノルル港に入港した約150名の年契約移民である。日本とハワイの政府レベルでは，1860年に遣米使節団やその護衛艦「咸臨丸」船員たちが，ハワイ諸島を訪問したことから日本とハワイの関係が始まった。しかし，民間レベルでは，捕鯨船員と救われた漂流民を通じて，すでに親和な絆ができていたのだ。

　アメリカ捕鯨や海洋博物館には，当時の多数の手書きの史料が保管されている。政府間の公式外交だけでなく，民間（民衆）の外交の動向も重要である。これまで解読されてこなかった新しい史料を活用することによって，19世紀の日本をとりまく国際環境が太平洋からの視点により，より鮮明になるであろう。

■参考文献 ─────────────────────────────────────
遠藤泰生「19世紀アメリカ合衆国から見た太平洋の「かたち」―歴史を動かした空間のイメージ」東京大学教養学部編『高校生のための東大授業ライブ　学問からの挑戦7』東京大学出版会，2015
加藤洋子『「人の移動」のアメリカ史　移動規制から読み解く国家基盤の形成と変容』彩流社，2014
コア，イヴ（高橋啓訳），宮崎信之監修『クジラの世界』創元社，1991
長谷川貴彦『世界史リブレット116　産業革命』山川出版社，2012
森田勝昭『鯨と捕鯨の文化史』名古屋大学出版会，1994

東アジアの情勢と中国・日本の開港

後藤 敦史

中国の「開港」，日本の「開国」

　2022年4月，高等学校において新科目「歴史総合」が始まった。この「歴史総合」に関して，「学習指導要領解説【地理歴史編】」を確認すると，「結び付く世界と日本の開国」という項目で，「中国の開港と日本の開国などを基に」して，アジアと欧米諸国との関係や，世界市場の形成過程などを学ぶという目標が立てられている。

　中国の「開港」に対し，日本に関しては「開国」と表現されている。なぜ表記が異なるのか。残念ながら，学習指導要領解説には説明がない。推測ではあるが，日本の場合は，「鎖国」の対義語として幕末に使用が始まり，明治維新以降は近代化の出発点として肯定的なニュアンスを持つようになった「開国」という語句をあえて使用しているのではないか。いずれにせよ，日本についても，実態としては「港を開く」という開港であったことに変わりない。

　このように，「開国」と「開港」の表現を例にとってみても，日本と中国との開港をめぐる歴史の比較や関係を探ることは，さまざまな示唆に富んでいる。そこで，ここでは両国の開港の歴史を「つなぐ」ということを試みる。中国と日本との開港を個々に見るのではなく，相互の関係性を重視して両国の開港の歴史をたどる。これにより，19世紀当時の東アジアの国際環境に関して，その特質の一端を探ってみたい。

中国の開港がもたらした東アジア海域の変化

　中国の動向が日本に与えた影響としては，アヘン戦争（1840〜1842）の

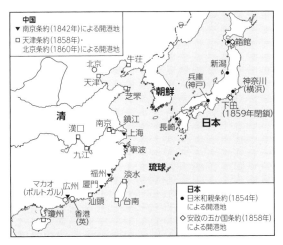

図1　日本と中国の開港地

　情報によって，江戸幕府が異国船打払令を撤廃し，薪水給与令を発令した，という事例が有名である。その後，周知のように，1842年の南京条約により，広州，福州，厦門，寧波，そして上海が開港された。さらに，イギリスだけではなく，アメリカとフランスも，清朝とそれぞれ望厦条約（1844），黄埔条約（同）を結び，開港地を獲得した。この中国の開港は，日本列島を含めた東アジア海域の状況を大きく変える。

　たとえば1844年，フランスの軍艦が琉球に来航した。この時，艦長デュプランは琉球側に対し，「（フランスの）皇帝は数隻の軍艦を中国に常時派遣してきましたが，両帝国の関係がさらに緊密になったので，現在はさらに多くの艦船を派遣しています」と説明している（フォルカード『幕末日仏交流記』）。「関係がさらに緊密になった」とは，もちろん黄埔条約のことを指す。一連の条約の結果，中国の開港地を拠点に，東アジアの海で活動をする欧米諸国の軍艦が増えたのである。

　それは当然，日本の近海にも軍艦が姿を現すことにつながった。有名な事例としては，1846年のアメリカ東インド艦隊司令官ビッドル（1783〜1848）による浦賀来航があげられる。2隻の軍艦を率いて来航したビッドルは，幕府に対して通商を求めた。

通商を拒否されたビッドルは退去したが，実は彼の本来の任務は，望厦条約の批准書交換のためにアメリカ本国から派遣された外交使節エベレットの護送にあった。エベレットは，日本との通商の可能性を探ることも任務としていた。しかし，途中で病にかかり，外交の権限がビッドルに移譲される。その結果，ビッドル自身が浦賀に来航したのである。

　このように，ビッドル来航の背景には，清朝とアメリカとの間で結ばれた望厦条約があった。この条約は，アメリカ国内において，東アジアでの通商拡大に対する期待を高めた。かつ，同じ 1840 年代に，アメリカの領土が太平洋岸に到達したことで，アメリカは（太平洋という広大な海をはさんで）東アジアと隣り合う国となった。こうした状況から，1848 年にはアメリカ議会で太平洋蒸気船航路の開設が提起される。そして，太平洋を横断する航路の開設を実現するためにも，日本を石炭補給地として開港させる，という構想が生まれた。そのひとつの帰結が，1852 年のペリー艦隊の派遣であった。

　なお，オランダは，アメリカによるペリー艦隊の派遣の情報を 1852 年の別段風説書によって幕府にもたらした。オランダは 1844 年には，幕府に開国の勧告を行っている。翌 1845 年に幕府は拒否の旨を回答しているが，オランダもまた，アヘン戦争以後の東アジア国際環境の変化をうけ，その対日外交を転換させた欧米諸国のひとつといえる。

日本の開港と清朝の国内外の情勢

　1853 年に浦賀に来航したペリー（1794 〜 1858）は，翌 1854 年初頭に再び江戸湾を訪れ，交渉の結果，日米和親条約が締結された。この条約により，下田と箱館が開港されることとなった。

　このペリー艦隊の行動の背景に，中国における太平天国が少なからぬ影響を与えていた。1853 年の浦賀訪問の直前に，ペリーは中国駐在の弁務官マーシャルと対立した。マーシャルは，太平天国の情勢を踏まえ，中国にいるアメリカ人の保護を東インド艦隊に求めた。しかし，ペリーは日本との交渉を優先し，同艦隊の軍艦 4 隻を率いて浦賀を訪れた。

　また，2 回目の日本訪問直前には，アメリカの海軍長官から，東インド

艦隊の1隻を新任の弁務官の使用にあてるよう，訓令が届いた。マーシャルの後任の弁務官マクレーンは，望厦条約の改定について清朝と交渉する，という特別の任務を負っていた（交渉は失敗に終わる）。しかし，ペリーは海軍長官の訓令をなかば無視して，東インド艦隊の軍艦を日本に結集させ，幕府との条約締結交渉を進めた。望厦条約の改定か，日本との条約か，というかたちで，中国駐在の外交官と，対日使節ペリーとの間で，意見の相違があったといえよう。

　さて，太平天国の進攻という国内問題を抱える清朝は，さらに1856年には，イギリス，フランスとの戦争（アロー戦争）に突入する。1858年には，天津につながる白河の河口にある大沽砲台をイギリス・フランス連合軍が占領した。その結果，同年に天津条約が結ばれ，清朝は外国公使の北京駐在や，キリスト教の布教の自由，牛荘などの新たな開港を約した。

　こうした中国の情勢を，日本との通商条約締結に利用したのが，駐日総領事ハリス（1804〜1878）である。1858年，下田を訪れたアメリカ軍艦からアロー戦争の状況を聞いたハリスは，すぐに幕府の老中に書を送り，清朝との戦争を終わらせたイギリス・フランス両国の海軍が日本に来るであろうこと，その渡来以前に，アメリカとの間で条約を結ぶべきことを提言した。このハリスの圧力もあり，同年に自由貿易を定めた日米修好通商

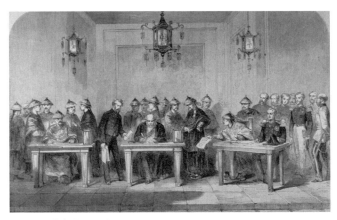

図2　天津条約の調印（*Illustrated London News*, 1858年10月2日）

図3　横浜にいる中国人が描かれた「横浜異人館之図」(1861年，横浜開港資料館蔵)

条約が結ばれ，新たに神奈川，長崎，新潟，兵庫が開かれることとなった。

　その後，同年中に幕府はオランダ，ロシア，イギリス，フランスとも相次いで通商条約を結ぶ。その中で，日英修好通商条約，日仏修好通商条約の締結を担ったイギリスのブルース（エルギン伯爵，1811～1863），フランスのグロ（1793～1870）は，ともに清朝との天津条約の締結に携わった者たちである。条約締結をめぐる人物からも，当時の中国情勢が，日本の開港と密接に関係していたことが分かる。

中国の開港と日本の開港のさまざまなつながり

　一方，日本の開港が中国の情勢に影響を与えた事例もある。アロー戦争は，1858年の天津条約締結で終わらなかった。翌1859年，天津条約批准に向かう英仏連合軍に対し，清朝側が大沽砲台より砲撃し，その報復として，連合軍は1860年に北京へと進攻した。

　この進攻において，英仏連合軍が重視したのが，物資の陸上輸送と，それを担う牛馬である。そして，開港したばかりの日本が，それらの調達先として着目された。物資調達のために日本に派遣されたイギリス陸軍のフォンブランクは，駐日公使オールコック（1809～1897）とともに幕府の外国奉行と会談し，しぶる外国奉行たちから，軍馬調達の言質を得た。軍馬をはじめとする軍需物資の調達先として，日本の開港地がアロー戦争にお

ける英仏の軍事行動を支えることとなった。

　これまでの事例で確認してきたように，両国の開港の歴史は，さまざまな場面で，密接につながっていた。その際に，両国の「つながり」は，欧米諸国が「仲介」していたともいえる。欧米諸国の（主に軍事的な）活動が，中国と日本を間接的につなげていたのである。

　ただし，人的な「つながり」という点でいえば，中国人と日本人との直接の交流も重要である。たとえば1859年に横浜が開港された直後から，中国の人々が横浜に来るようになった。日本との貿易を計画する欧米人たちにとって，欧米の言語を理解し，かつ日本人とも筆談のできる中国人は，日本と貿易を行う上で重要であった。そのため，多くの中国人が，欧米人に雇われて来日し，日本と欧米との貿易を「仲介」したのである。

　以上，日本と中国との，開港に関わるさまざまな「つながり」を見た。ここでは，2国間に限ったが，19世紀は，東アジアの多くの国・地域に欧米諸国（のちに日本も）が進出し，東アジアの国際環境が大きく変動した時代でもある。その変動の中で，諸国・諸地域間の「つながり」をひとつひとつ解き明かすことで，19世紀における東アジアの歴史的特質も，より一層，明らかとなるであろう。

■参考文献

後藤敦史『忘れられた黒船─アメリカ北太平洋戦略と日本開国』講談社，2017
ド・フォンブランク，E・B（宮永孝訳）『東西交流叢書13　馬を買いに来た男─イギリス陸軍将校の幕末日本日記』雄松堂書店，2010
西川武臣・伊藤泉美『あじあブックス045　開国日本と横浜中華街』大修館書店，2002
フォルカード，テオドール・オーギュスタン（中島昭子・小川小百合訳）『幕末日仏交流記─フォルカード神父の琉球日記』中公文庫，1993
吉澤誠一郎『シリーズ中国近現代史1　清朝と近代世界　19世紀』岩波新書，2010

諸藩の留学生とパリ万博での維新前哨戦

薩摩・長州 vs. 幕府・佐賀

塚越 俊志

▎長州ファイブと薩摩スチューデント

　1863 年 6 月 27 日（文久 3 年 5 月 12 日），井上馨（1836 〜 1915）・伊藤博文（1841 〜 1909）・山尾庸三（1837 〜 1917）・遠藤謹助（1836 〜 1893）・野村弥吉（井上勝，1843 〜 1910）が長州藩の命令で，幕府によって禁止されていた海外渡航を決行し，イギリスへ向かった。5 人は「生きたる器械」として，西洋の文明技術を身に着けることを使命とした。

　彼らは，後に夏目漱石（1867 〜 1916）やガンディー（1869 〜 1948）などが学んだユニバーシティ・カレッジ・ロンドン（University College London，以下 UCL と表記する）に入学した。これまで，イギリスにはオックスフォードとケンブリッジの二つの大学しかなく，両校に進学ができるのはイギリス国教徒のみであった。UCL はアンチ・オックスブリッジを旗印に掲げた自由，反骨，無宗教の大学であった。

　攘夷で一時的に武威を示せても，結果的に自分たちに不利益となる。外国と交わるのは必然で，その日に備えて西洋の事情を知らなければならない。そのために藩士を外国に派遣して西洋の文化と技術を吸収させ，帰国した彼らの知識で長州藩を強化して後，完全な攘夷が可能となる。すなわち，「大攘夷」計画が長州藩士をロンドンへ向かわせたのである。「大攘夷」とは，現状の武備では欧米諸国に対抗できないので，無謀な攘夷を否定する考えである。よって，現行の通商条約を容認し，その利益によって武備を整えた暁に海外進出を行うものであった。なお，「小攘夷」とは，勅許を得ずに締結された通商条約を，即時に，しかも一方的に破棄して，それによる対外戦争も辞さないという破約攘夷を主張するものであった。

　井上馨と伊藤は維新後に政治家となり，山尾・遠藤・野村が技術官僚（テクノクラート）となった。2013年7月3日に日本から来た5人の留学生を称えて「長州ファイブ来英150周年」（150th anniversary of the arrival of the 'Choshu Five' in the UK）を記念した式典がUCLで開かれた。

　一方，薩摩藩では1865年4月17日（元治2年3月22日），視察員として新納久脩（にいろひさのぶ）（1832〜1889）・松木弘安（寺島宗則，1832〜1893）・五代友厚（1835〜1885）・堀壮十郎（1844〜1911）と町田久成（1838〜1897）や森有礼（ありのり）（1847〜1889）ら19名の留学生をイギリスへ派遣した。

　派遣の目的は，開国を前提として，西欧の科学技術，特に海軍学の習得と対英親善にあった。19名の留学生は長州ファイブも通ったUCLで学んだ。

　ロンドンでは，長州藩士野村，遠藤，山尾らが薩摩藩士たちを訪れた。1864年8月20日（元治元年7月19日）の禁門の変では薩摩藩が長州藩を攻撃したこともあり，お互いに警戒しながら，ロンドンにやってきた真意を探ることとなった。しかし，両者は次第に打ち解けていった。3人の長州藩留学生は学費に窮しており，薩摩藩留学生たちが1ポンドずつ義援金を募り，山尾のグラスゴー行きの旅費を捻出してくれた。

　1865年秋，薩長両藩の留学生たちの間に「留学生サークル」が結成され，相互協力体制を築いた。このように，日本で，1866年3月7日（慶応2年1月21日）に「薩長盟約（連合，同盟）」が交わされる前に，薩長留学生たちの間では慣れない土地で協力し合わなければならないという事情があったものの，いわばロンドンで「薩長盟約」のような関係が築かれたのである。

▎薩摩藩視察員とパリ万博における幕府 vs. 薩摩

　1867年の第2回のパリ万国博覧会は，パリのシャン・ド・マルス（旧練兵場）で開かれ，ナポレオン3世（1808〜1873）が，ロンドン万博に対抗するものとして位置付けた。世界史的にみると，産業博覧会ではあるが，文化芸術的性格を強めることとなり，日本史的にみると，日本が初めて国際社会にデビューする機会となった。

　フランスの伯爵でベルギーの男爵でもあったモンブラン（1833〜1894）は日仏修好通商条約締結交渉の際にフランス側全権のグロ男爵（1793〜

図1　パリ万博の主会場とそれを取り囲む各国パビリオン

1870）と共に日本にやってきた経験がある。その後，江戸・大坂の開市と
新潟・兵庫開港延期交渉のために派遣された特命全権公使竹内保徳（1810
〜1867）の遣欧使節団ともかかわった。また，横浜鎖港交渉のため派遣さ
れた池田長発を正使とする遣仏使節団，石川島造船所の機能拡大に必要な
機械の購入のためオランダに派遣された肥田浜五郎（1830〜1889），横須
賀製鉄所に必要な技師と機械購入のために派遣された理事官柴田剛中（1823
〜1877）を長とする遣仏英使節団の何れにも接触をしたのがモンブランで
ある。このように，モンブランは最初，幕府に接近して様々な献策を行う
も退けられた。

　1865年，モンブランは，ロンドンにやってきた薩摩藩の視察員に接近し
た。1865年10月15日，ブリュッセルにおいてモンブランと新納久脩・
五代友厚との間で貿易商社設立の契約を行った。さらに，新納と五代はモ
ンブランにパリ万博に出品やその他の案件についても相談をした。こうし
てモンブランは「薩州欧行係書役」の肩書でパリ万博参加に尽力する。さ
らに，薩摩藩は1866年12月16日（慶応2年11月10日），家老岩下方平（1827
〜1900）を全権使節としてパリ万博に派遣し，モンブランを「博覧総事務長」
とした。

　モンブランの画策もあり，薩摩藩は「琉球王国」のプラカードを出し，
島津家の家紋（丸に十字）「薩摩琉球国勲章」を掲げた。さらに，岩下は「薩

図2　徳川昭武（国立国会図書館「近代
日本人の肖像」）

図3　五代友厚（国立国会図書館「近代日
本人の肖像」）

摩琉球王国全権使節」の名義で万博に参加することとなった（田辺太一〔1831
〜 1915〕は『幕末外交談』の中で，岩下の位を「薩摩琉球王国全権大使」と訳し
ているが，当時の日本在留外交官に「大使」はいないため，ここでは「薩摩琉球
王国全権使節」と訳を改めた）。

　薩摩藩より遅れて 1867 年 4 月 3 日（慶応 3 年 2 月 29 日）に幕府のパリ
万博使節団徳川昭武（1853 〜 1910）一行が到着した。フランス駐箚公使と
して随行した向山一履（1826 〜 1897）や外国奉行支配組頭田辺太一は，薩
摩があたかも独立国のような印象を抱かせる島津家の家紋を掲げたことを
問題視した。これについて，岩下はモンブランがすべてやったことで何も
知らないと発言し，田辺は「琉球」の文字をとることと，「丸に十字の旗章」
を除き，「松平修理大夫（薩摩藩主島津忠義，1840 〜 1897）」の名で出品す
ることを求めた。これに対し，岩下は「薩摩太守の政府」から出品するこ
ととしなければ承服できないとした。結果，幕府は「大君政府」とし，薩
摩は「薩摩太守の政府」として出品し，それを日本総船印として用いた「日
の丸」の旗の下に記すことで，双方の合意にいたった。

　フランスの『フィガロ』紙などの有力紙は，日本がプロイセンのように
連邦制をとり，大君はその中の有力な一王侯に過ぎず，薩摩太守やそのほ
かの諸大名と同じように独立した領主であり，大君といえども大名と同格

であるといった論調で報じたため，この責任をとる形で向山と田辺は帰国した。この情報を流したのはモンブランであった。

　幕府は外交の挽回を図るため，改めて栗本鋤雲（じょうん）（1822 ～ 1897）らを派遣することとなる。

　このように，パリ万博において薩摩藩は幕府に広報外交で勝利を収めたのである。

■ パリ万博に参加した日本

　日本から 1867 年にパリのシャン・ド・マルス（旧練兵場）で開催された第 2 回パリ万博に参加したのは，幕府，薩摩藩，佐賀藩，商人清水卯三郎（1829 ～ 1910）であった。ほかに，フランスに留学する目的で，会津藩士横山主税（ちから）（1847 ～ 1868）と海老名季昌（すえまさ）（1843 ～ 1914），唐津藩士尾崎俊蔵（生没年不詳）も加わっていた。ほかにも，15 代目松井源水（1834 ～ 1907）らの旅芸人も万博で芸を披露した。清水卯三郎は洋学者箕作秋坪（みつくりしゅうへい）（1826 ～ 1886）の勧めでパリ万博に参加し，すみ・かね・さと（3 人は何れも生没年不詳）を看板娘とした水茶屋を開き，好評を博した。

　会津藩士が加わったのには次のような理由がある。会津藩主松平容保（かたもり）（1836 ～ 1893）が尾張藩支藩高須松平家出身で，容保の祖父にあたる松平義和（よしなり）（1776 ～ 1832）は水戸藩主徳川治保（はるもり）（1751 ～ 1805）の次男であった。治保は徳川慶喜（1837 ～ 1913）の曽祖父にあたり，容保と慶喜はまたいとこであった。このような血縁関係もあって，会津藩はフランス留学生を派遣できたのである。また，唐津藩主名代小笠原長行（1822 ～ 1891）は慶喜の信頼厚い老中の一人であったことから，藩士を派遣することはそれほど難しくなかったのである。なお，小笠原長行の長男に東郷平八郎（1848 ～ 1934）のブレーンとなった小笠原長生（ながなり）（1867 ～ 1958）がいる。

　1867 年 4 月 11 日（慶応 3 年 3 月 7 日），パリ万博に派遣された 15 代将軍徳川慶喜の名代徳川昭武一行はパリに到着した。昭武は 4 月 28 日（3 月 24 日），フランス皇帝ナポレオン 3 世と謁見した。その後，スイス・プロイセン・オランダ・ベルギー・イタリア・イギリスを巡った。

　1867 年 7 月 29 日（慶応 3 年 6 月 28 日），徳川昭武の教育掛にヴィレッ

ト陸軍中佐（1822 ～ 1907）が任命
された。1868 年 1 月 26 日（慶応 4
年 1 月 2 日）に幕府からいわゆる「大
政奉還」の報せが届いたが，昭武は
そのままフランスで留学生活を続
け，10 月 15 日（8 月 30 日），パリ
を発って帰国した。

　佐賀藩は幕府からパリ万博に参加
するよう依頼を受け，藩主鍋島直正
（1815 ～ 1871）が 1866 年 12 月（慶
応 2 年 11 月）に正式参加を表明した。
1867 年 6 月 14 日（慶応 3 年 5 月 12

図4　佐野常民（国立国会図書館「近代日本
人の肖像」）

日），藩代表佐野常民（1823 ～ 1902）ら佐賀藩使節がパリに入った。彼ら
の陳列は薩摩藩にならって「肥前太守の政府」となった。

　佐賀藩の本当の目的はオランダで蒸気船「日進」を購入することや各国
の軍制視察であった。日進は後，明治政府が江華島事件の際に使用した軍
艦の 1 隻となる。また，佐野はパリ万博で赤十字の活動を見学しており，
後に日本赤十字社を創設することとなった。佐賀藩は人材育成に力を入れ
て，海外情報を入手し，軍制改革につなげることによって強力な軍事力を
持つにいたったのである。

■参考文献

犬塚孝明『薩摩藩英国留学生』中公新書，1974
コビング，アンドリュー『幕末佐賀藩の対外関係の研究—海外経験による情報導入を中心に—』鍋島
報效会，1994
桜井俊彰『長州ファイブ　サムライたちの倫敦』集英社新書，2020
宮地正人監修・松戸市教育委員会編『徳川昭武幕末滞欧日記』山川出版社，1999
宮永孝『プリンス昭武の欧州紀行　慶応3年パリ万博使節』山川出版社，2000

武器はめぐりくる

19世紀半ばの武器移転と幕末日本

金澤 裕之

▌武器移転の19世紀

　グローバル化（globalization。国際政治学では資本，情報，人の移動・交流による国家間の相互依存が地球規模で高度に進んだ状態を指す）が進んだ現代の国際社会において，内戦，テロリズム，国際犯罪の要因の一つに挙げられているのが武器移転（arms transfer）の問題である。武器移転，すなわち武器が国境を越えて移動していく形態は貿易，供与，貸与，鹵獲（ろかく），略奪など幅広い。また，武器移転は単に武器単体に留まらず，それを運用，維持・管理，開発するための技術基盤や人的資源の移動も含む広範な概念である。2013年には武器貿易条約（Arms Trade Treaty: ATT）が国連総会で採択され（2014年発効），武器の国際管理への取り組みが進められている。ただし，国際社会の管理が及ばない武器移転は依然として存在しており，その試みは未だ道半ばであると言わざるをえない。

　この武器移転は21世紀だけに見られる現象ではない。いわゆる「鎖国」体制が終わり，諸外国との交流が爆発的に拡大していった19世紀半ばの日本で，その少なからざる割合を占めたのが軍事面である。

　19世紀前半から中葉は世界的に武器の性能が飛躍的に向上した時期にあたる。ナポレオン戦争（1799〜1815），クリミア戦争（1853〜1856），南北戦争（1861〜1865）などの戦いが武器を進歩させ，時にその性能が戦争自体の勝敗を決した。小銃では点火方式が燧石式（すいせき）（フリントロック）から雷管式（パーカッションロック）へ，銃身が滑腔（かっこう）から施条（しじょう）（銃身内側に施す螺旋（らせん）状の溝。ジャイロ効果で弾丸は直進性を増す。滑腔銃の銃身にはこの溝がない）へ，装填方法が前装式（先込め）から後装式（元込め）へ，銃弾が円弾から椎実

弾へ転換し，射程距離，命中精度，発射速度を大きく向上させていった。軍艦では18世紀末に発明された蒸気船が推進方式を防御上の弱点・武装の制約となる外輪式からスクリュー式へと転換させ，炸裂弾や後装施条砲の発明により戦闘力を，装甲艦の登場により防御力をそれぞれ大幅に向上させている。

　こうした兵器生産を担ったのは産業革命後のヨーロッパ諸国である。例えばイギリスではイングランド中西部の工業都市バーミンガムがヨーロッパ有数の小銃生産地として発展を遂げており，この地から輸出された小銃は世界各地の戦場で使用された。武器は主要な輸出品として世界中をめぐる時代となっていたのである。

幕末日本における軍事の近代化

　歴史学研究においてかつて盛んだった学説に「ウェスタン・インパクト（西洋の衝撃）」論がある。これは圧倒的な政治力，経済力，軍事力を持つ19世紀以降の西洋諸国との接触が東アジア諸国に衝撃を与え，その近代化を促したとする説である。現在では東アジアの内発的発展を軽視していると批判される見解であるが，こと軍事に関しては日本が西洋から受けた衝撃は大きい。

　元和偃武（げんなえんぶ）（1615）により日本の軍事は長らく進歩を止めていたが，江戸時代後期以降に頻発するようになった外国船の来航は，朝野に海岸線の防備に関する議論を惹起した（海防論）。1841年に徳丸ヶ原（現，東京都板橋区）で高島秋帆（1798〜1866）が西洋砲術・銃陣の演習を行うなど漸進的な軍備近代化が始まり，1853年のペリー来航によりその流れは一気に加速していく。

　その中で大きな役割を果たしたのが西洋諸国からの武器輸入である。例えば小銃の場合，幕末期に日本へ輸入された数は70万挺（ちょう）に達する。初期の輸入小銃は17世紀後半に開発された前装滑腔銃ゲベール銃であるが，日本へ入ってきた時点ですでに旧式銃となっており，ほどなく前装施条銃のミニエー銃，エンフィールド銃に取って代わられ，さらにスナイドル銃，シャープス銃といった後装施条銃へと，短期間のうちに世代交代を繰り返し

ていった。

　大砲では当初オランダ製の前装滑腔砲が導入されたが，これも兵器の技術革新により様々な種類の大砲が輸入されるようになった。有名なアームストロング砲（後装施条砲）もその一つである。

　武器自体の移動のみならず，その運用，製造，整備などに関する技術基盤の導入も武器移転の重要な要素であり，幕府と一部の雄藩が武器輸入と並行して国産化の努力を続け，一部成功した事実は無視できない。とは言いながら，産業革命を経験していない日本では鋼材の切削をはじめとする技術基盤におのずと限界があり，佐賀藩がアームストロング砲の製造に成功したほかはゲベール銃，前装滑腔砲のような旧式兵器の段階に留まっていたのが実情である。

　軍艦の導入もほぼ同じ経過をたどっている。幕府はペリー来航以前から軍船の性能向上に取り組み，「蒼隼丸」のような和洋折衷型の番船が建造されたこともあったが，やはり近代的な造船技術を欠く状況では小型帆船の域を超えることはなかった。日本初の本格的な蒸気軍艦となったのは1855年にオランダから幕府へ贈呈された「観光丸」（400t）である。1860年にアメリカへ派遣された「咸臨丸」（625t）も幕府の発注によりオランダで建造された蒸気軍艦であった。

　幕府は蒸気軍艦の国産化も試み，1866年に港湾防御用の砲艦として設計された「千代田形」（138t）が就役しているが，蒸気船建造技術が導入される途上にあった日本では，結局のところその取得の大半を輸入に頼らざるをえなかった。幕府や諸藩で蒸気船の需要が高まると，横浜・長崎などの開港場あるいは上海などで売りに出されていた中古の蒸気商船に若干の武装を施したものが盛んに購入されるようになる。

　ただし，明治以降の海軍力や造船技術の発展という観点から見ると，幕末期における海外からの技術移転は重要な意味を持つ。1855年から1859年にかけて長崎で行われたオランダ人教官による海軍教育（長崎海軍伝習）は，日本における海軍第一世代とも言うべき海軍士官・水夫・技術者を養成し，明治期の海軍建設を担う人材が輩出した。

　幕府がオランダの協力を得て1857年に建設を開始して1861年に完成さ

せた長崎製鉄所，同じく幕府がフランス（第二帝政）の協力で1865年に建設を開始し，その途上で明治維新を迎えた横須賀製鉄所は，明治期にそれぞれ三菱の長崎造船所，海軍の横須賀工廠へと発展して日本の軍艦建造の一大拠点となった。

■「武器の見本市」となった戊辰戦争

　内戦期となった1860年代では，天狗党の乱（1864 ～ 1865）で洋式化された幕府陸海軍が初めて実戦に投入され，第二次幕長戦争（第二次長州征討。1866）では共に最新兵器を装備した幕府軍と長州藩が対峙した。1868年の王政復古により明治政府が成立した後も，戊辰戦争（1868 ～ 1869）で新政府軍と旧幕府勢力・奥羽越列藩同盟との間で激しい戦いが繰り広げられる。戦場では15世紀に発明された火縄銃から最新式のシャスポー銃，和船からスクリュー式の蒸気軍艦まで新旧の武器・兵器が入り混じり，さながら武器の見本市の様相を呈した。

　戊辰戦争における主力銃の一つエンフィールド銃は，インド大反乱（1857 ～ 1859）の原因としても知られている。弾薬包に牛と豚の油脂が使われているとの噂が，ヒンドゥー教徒とムスリムで構成されるイギリス東インド会社のインド人傭兵（シパーヒー）の間に広まり，弾薬の受け取りを拒否するシパーヒーとイギリス人上官の対立が反乱へと発展していったというものである。シパーヒーから回収された大量のエンフィールド銃が日本へ輸出されたとする指摘もあり，この銃の存在自体が19世紀後半の国際社会と幕末日本の密接な関わりを表していると言えよう。

　こうした武器移転の中継地の一つとなったのが南北戦争（1861 ～ 1865）終結後のアメリカである。アメリカ国内を二分し4年間にわたって繰り広げられた南北戦争では大量の武器が消費され，北軍だけで400万挺の銃が調達されたとされるが，国内の生産だけでは需要を賄うことができず，100万挺はイギリスから輸入されるなど欧州から大量の武器が流入している。欧州からもたらされたのは銃砲だけではない。工業力で北部に劣る南軍は欧州諸国へ軍艦を発注し，その一部は北軍の海上封鎖をかいくぐって南軍海軍に合流している。

図1　スペンサー銃(国立アメリカ博物館蔵)／Division of Political and Military History, National Museum of American History, Smithsonian Institution

　南軍の降伏により内戦が終結すると当然ながら大量の武器が余剰兵器となり，そのうちの相当数が中国経由または直接のルートで日本にもたらされた。アメリカのウィンチェスター社が開発し北軍へ供給した7連発の後装施条銃スペンサー銃（図1）は，南北戦争後日本へ約4700挺が輸出され，会津の鶴ヶ城攻防戦で知られる山本八重（1845〜1932。のち同志社創設者新島襄夫人）はその騎兵銃型を携えて籠城している。

　アメリカから日本への武器移転は銃砲に留まらない。フランスで建造され南軍の軍艦となった「ストーンウォール」（1358t）は，1866年に幕府が購入を決定し「甲鉄」と命名されたが，戊辰戦争の勃発で局外中立を宣言したアメリカがいったん引渡しを差し止め，1869年になって明治政府に引渡された（図2）。戊辰戦争のクライマックスとなった箱館戦争（1868〜1869）に投入された「甲鉄」は，頑丈な装甲で榎本武揚（1836〜1908）率いる旧幕府軍艦の砲弾を跳ね返し，「甲鉄」の防御力に苦戦する榎本はその奪取を目論んで停泊中の同艦へ軍艦からの移乗白兵戦を仕掛けている（宮古湾海戦）。なお，この時に「甲鉄」の甲板上で榎本軍の斬り込みを撃退したのは，1866年に北軍で採用された多銃身回転式の機関銃ガトリング砲だったとされている（諸説あり）。「甲鉄」はその後「東」と改名し，1888年に除籍されるまで日本海軍で活躍した。

　廃藩置県（1871）の時点で諸藩が保有していた小銃は全国で約37万挺，そのほとんどは西南戦争（1877）の頃までに軍事の第一線から姿を消す。海を渡り大陸を越え世界をめぐってきた武器たちは，日本でその長い旅を

図2 「甲鉄」（アメリカ海軍歴史・遺産コマンド
U.S. Naval History and Heritage Command 蔵）

終えたのである。

■**参考文献**
淺川道夫「戊辰戦争における陸軍の軍備と戦法」奈倉哲三・保谷徹・箱石大編『戊辰戦争の新視点　下』
吉川弘文館, 2018
金澤裕之『幕府海軍の興亡　幕末期における日本の海軍建設』慶應義塾大学出版会, 2017
金澤裕之『幕府海軍　ペリー来航から五稜郭まで』中公新書, 2023
古川学「インド大反乱と幕末西洋銃」『史学』56巻1号, 1986
横井勝彦『大英帝国の〈死の商人〉』講談社選書メチエ, 1997

浮世絵にみる東西文化の交流

海を渡った江戸のメディア

藤澤 紫

メディアとしての浮世絵

　「江戸庶民文化の華」とも称される浮世絵は，17 世紀後半に江戸の地で誕生した。今や日本の美術を代表するジャンルの一つとして，浮世絵師が手掛けた大量の作品群は，国内外を問わず多くの愛好者に支持されている。手描きの肉筆画の制作と並行し，木版を用いた出版体制を整えることで，浮世絵は大量生産され，江戸の主要なメディアとしての確固たる地位も築いた。明和（1764 〜 1772）の初期に誕生した「東（吾妻）錦絵」と呼ばれる多色摺版画は，幾重にも版を重ねる複雑な工程により生み出される美麗な色彩が愛され，都市部に暮らす庶民の娯楽品として，また洒落た江戸土産として各地に広まった。現代でも美術品として，また当時の文化を視覚的に伝える資料としても有効に活用されている。

　都市部の先端の風俗を伝える浮世絵は，江戸土産として諸国に持ち帰られるだけでなく，やがて海外にも輸出され，19 世紀後半にはジャポニスム（Japonisme）などの文化現象を生むきっかけともなった。とくに日本が初めて正式に参加した 1867 年のパリ万国博覧会は，一般大衆に日本文化の魅力を伝える契機となり，芸術面では，漆器，陶磁器，根付，染織品や絵画などが強い影響を与えた。中でも件数や情報量が豊富な錦絵や版本類は，ジャポニザン（Japonisant）と呼ばれる愛好家らが好んで蒐集した。天保（1830 〜 1844）初年頃の作とされる葛飾北斎（1760 〜 1849）の錦絵「冨嶽三十六景」（図 1）シリーズや，『北斎漫画』などの絵手本類の図案は，印象派の絵画や楽曲，ガラス器や家具などの工芸品にも用いられている。また，19 世紀後半の西洋絵画に散見される，家庭の平安や一般女性のプライベートに

図1　葛飾北斎画「冨嶽三十六景　神奈川沖浪裏」
（天保〔1830〜1844〕初年頃，メトロポリタン美術館蔵）

取材した「新たな女性像」の発展にも，浮世絵の美人画が一役買っていたと考えられる。本項では，浮世絵の特性と，浮世絵がつなぐ東西文化交流について，名所絵や美人画を中心に，ポイントを絞って論じることとする。

浮世絵が支えた江戸庶民文化

　はじめに浮世絵の特徴について，三つのキーワード（浮世の絵，江戸絵，東錦絵）を通じて端的に述べる。まず「浮世の絵」，これは主たる受容者である江戸の庶民層の嗜好性を示すもので，麗しい男女の姿や評判の名所など現世を楽しむための享楽的な主題が好まれた。浮世絵の別称である「江戸絵」や，先述の「東錦絵」という名称も，それぞれ浮世絵が江戸（東都）を象徴する新たなメディアとして機能したことを示している。

　浮世絵版画の制作工程は，版元（板元）と称される編集と出版を兼ねた責任者を中心に，作画を担当する絵師，印刷の匠である彫師・摺師の共同作業によって成り立ち，作品は娯楽的な出版物を扱う絵草紙屋の店先などで販売された。3代歌川豊国（1786〜1864）画「今様見立士農工商　商人」（図2）は，江戸時代後期に上野の下谷にあった絵草紙屋「魚屋」のにぎわう店先を描いている。右端には錦絵を大切そうに持つ，背負われた幼児の姿もみえ，浮世絵の幅広い購入者層を知ることができる。

　根強い人気の一方で，江戸時代に繰り返し出された奢侈禁止令に伴い，娯楽品と目された錦絵には主題や色数などに具体的な統制が加えられるこ

図2　3代歌川豊国画「今様見立士農工商・商人」（安政4〔1857〕年, 国立国会図書館
デジタルコレクション）

とがあった。価格も寛政の改革時には20文以上を禁じ, 天保の改革時には
俗にかけそば1杯程度とされる16文（現代の400円前後）が上限とされた。
近年, 質の良い浮世絵版画の販売価格が高騰しているが, 本来はむしろ薄
利多売の手ごろな価格帯で, 庶民の暮らしを彩る身近な情報誌であった。

名所絵がひらく文化の扉

　暮らしに根付く幅広い主題も, 浮世絵の魅力である。人物画を主軸に,
19世紀以降は旅の流行などの社会情勢にも後押しされ, 地域特有の景観や
情報を満載した「名所絵」も大いに流行した。四季の風景と人々の日常を
描く名所絵は, 西欧の芸術にも影響を与えた。例えば19～20世紀に活躍
したフランスの画家アンリ・リヴィエール（1864～1951）は, 北斎の「冨
嶽三十六景」から発想を得て, パリの象徴であるエッフェル塔を霊峰富士
に見立てた連作「エッフェル塔三十六景」（1888～1902）を手掛けた。同
じくフランスの印象派の作曲家, クロード・ドビュッシー（1862～1918）が,
「海～管弦楽のための三つの交響的素描」の初版楽譜（1905年）の表紙に,
前掲の「神奈川沖浪裏」（図1）を用いたことも知られる。

　北斎は洋の東西を問わず海外文化を積極的に取り入れ, 「冨嶽三十六景」
にも遠近感を強調した構図や, 当時はまだ珍しい輸入の合成色料のベルリ
ンブルー（通称ベロ藍）を用いている。北斎の海外への憧憬は, 西欧の作家

の共感を得る一因にもなったのであろう。本作は 2020（令和 2）年に改定した日本のパスポートの図案になり，北斎も 1998 年にアメリカの『LIFE』誌が発表した「この 1000 年で最も重要な功績を残した世界の人物 100 人」に日本人で唯一選ばれるなど，今も国内外で高い評価を得ている。

▍美人画がつなぐ東西文化

　浮世絵の主要な画題である人物画は，現代のグラビアやファッション誌の先駆けともなる「美人画」，ブロマイドや芝居のパンフレットともなる「役者絵」，勇者に取材した「武者絵」，物語等を素材とした「見立絵」など細かく分類される。美人画のカテゴリに含まれている子どもや母子といった主題も，風俗画の系譜にある浮世絵らしいものである。

　西洋における母子像は，長らくキリスト教美術における「聖母子」や「聖家族」など，宗教的なテーマが主流であった。一方，日本における宗教的な母子像は「鬼子母神（訶梨帝母）」などを除くと数が少なく，主に風俗画の範疇で描かれてきた。中国の陶磁器や版画に描かれる子どもや母子の図像を介して，日本でも早くからこれらを吉祥性の高い主題と認識してきた。浮世絵ではとりわけ明和期に活躍した鈴木春信（1725 ？〜 1770）が描き，寛政期（1789 〜 1801）に喜多川歌麿（1753?〜 1806）が，「行水」（図 3）のような和やかな母子図を多く手掛けている。

　これと同図の錦絵を有していたのが，パリで印象派に接したアメリカ出身の作家，メアリー・スティーヴンソン・カサット（1844 〜 1926）であった。銅版画の代表的なシリーズの 1 点「The Bath」（1890 〜 1891）（図 4）も，構図や主題が通うことから，歌麿の「行水」（図 3）からの影響が指摘されている。また市井の女性の私生活を「覗き見る」といった演出に欠かせない鏡も，欧米の画家たちが浮世絵を介して得た興味深いモチーフの一つである。合わせ鏡で身づくろいする町娘を描いた歌麿の「高島おひさ」（図 5）もカサットが旧蔵していたものと同じ図で，鏡に向かい髪を結う女性に取材した，同シリーズの「The Coiffure」（図 6）などにその趣向が継承されたと考えられる。ありふれた日々に垣間見える美しい瞬間を切り取るといった，最も浮世絵らしい特質を，身近に作品を置き鑑賞することで理解し，

図3 喜多川歌麿画「行水」(享和1
(1801)年頃, シカゴ美術館蔵)

図4 メアリー・スティーヴンソン・
カサット《The Bath》(1890〜
1891年, シカゴ美術館蔵)

図5 喜多川歌麿画「高島おひさ」
(寛政7(1795)年頃, シカゴ美術館蔵)

図6 メアリー・スティーヴンソ
ン・カサット《The Coiffure》
(1890〜1891年, シカゴ美術館蔵)

約100年の時と国境をこえて享受したのである。

　明治期には，歌麿が好んだ山姥と金太郎の伝記にちなむ母子図の系譜を継ぎ，浮世絵最大流派の歌川派を牽引した月岡芳年（1839〜1892）が「一魁随筆　山姥怪童丸」（図7）を上梓している。陰影を強調した表現や慈愛に満ちた山姥のまなざしは，イタリアルネサンス期の画家ラファエロ・サンティ（1483〜1520）の「美しき女庭師（聖母子と幼児聖ヨハネ）」（1507年，ルーヴル美術館）などの聖母子像を思わせる。シノワズリ（Chinoiserie）などの東洋趣味を素地に，西欧文化圏でジャポニスムの機運が高まったのとほぼ同時期に，

図7　月岡芳年画「一魁随筆山姥怪童丸」（明治6〔1873〕年，東京都立中央図書館蔵）

そのきっかけとなった浮世絵にもまた，先端の西洋文化への急速な歩み寄りがみられることは興味深い。ここにも，浮世絵が有したメディア性とともに，美術を介した東西文化交流の一端をみることができる。

　かつて海を渡った浮世絵は，今も世界の諸機関の貴重なコレクションとして収蔵され，最新の技術も活用しながら研究，公開が進められている。例えば米国ボストン美術館所蔵の6000点余りに及ぶスポルディング・コレクションは，劣化を防ぐという寄贈者の意向により展示を固く禁じられたため，「幻のコレクション」とされてきた。今世紀の初めにデジタル機器による全作品の撮影を行い，デジタルミュージアム上で公開する作業の一端に，筆者も研究者として加わった。当時大きな話題となったこの事業は，現在も各種メディアなどで活用されている。浮世絵は今も「美の親善大使」として様々な媒体を通じ，世界各国に日本文化の魅力を伝えている。

■参考文献
小林忠監修『スポルディング・コレクション名作選』小学館，2009
藤澤紫『遊べる浮世絵 体験版・江戸文化入門』東京書籍，2008
藤澤紫監修，NHKプロモーション・NHKエデュケーショナル『NHK浮世絵EDO-LIFE 浮世絵で読み解く江戸の暮らし』講談社，2020
古田亮監修『教養の日本美術史』ミネルヴァ書房，2019
三浦篤『移り棲む美術—ジャポニスム，コラン，日本近代洋画』名古屋大学出版会，2021

海を渡った日本の文物
―異文化をつなぐプレゼント―

岩下 哲典

　欧州の博物館や宮殿に行くと，日本の漆器（会津漆器等）が展示されていることがある。調度品だったり，器物だったりする。伊万里や鍋島などの大型陶磁器の優品も宮殿の壁にはめ込まれて装飾の一部になっている。異国趣味を好む王侯貴族のために，長崎出島のオランダ東インド会社が運んだものだ。外洋を運ぶため，梱包には気を遣った。特に陶磁器には布とか縄とか木箱を使った。そうして運ばれた希少価値の高い美術品が彼らの心をとらえたのだろう。

　1844 年，オランダ国王ウィレム 2 世が，長崎に軍艦パレンバン号を派遣し，将軍家慶に対して開国勧告の親書を提出した。日本側はお礼として乗組員に日本の文物をプレゼントした。艦長には，青貝細工の鏡台や手文庫，長崎亀山焼の染付大蓋物，大福紅白縮，甲州郡内産の高級絹織物などが贈られた。一般乗組員にも，青貝細工のたばこ入れ，亀山焼皿付蓋物が 300 セット用意された。パレンバン号の滞在は 3 か月に及んだが，調達するのは大変だっただろう。請け負ったのは京都に本店のある青貝屋武右衛門。青貝屋は出島売り込み商人で以前からオランダ商館を得意先としていた。かのシーボルトも妻タキや愛娘イネの顔を描いた青貝細工を大切にしていた。タキが贈ったものと言われている。ところで，日本側は，天草米 100 俵や麦 150 俵，塩 1000 俵，豚 9 匹も贈っている。塩 1000 俵はあまりにも多いが，船のバラストを兼ねていたのだろう。米や麦，豚は航海中の食事に出された。ちなみにパレンバン号一行から日本には，オランダ国王の肖像画，ガラスのランプ，ガラスの花，六連発銃，回り灯籠，書籍，地図が贈られた。

　日米修好通商条約締結後，日本は条約批准書を運ぶためにアメリカに使節を派遣した（万延遣米使節）。批准書とともにアメリカ大統領に送られた文書は，豪華な金泥の料紙の奥の上方に将軍名「源家茂」と堂々と墨書され，大きな朱印「経

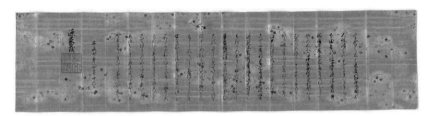

図1　将軍家茂の署名・印章入り条約批准書（アメリカ国立公文書館蔵）

文緯武」（文を経とし武を緯とする，文武両道）を押したものであった（図1）。蒸
気船の黒船と大砲に脅された日本は，美麗で尊大な形式の文書を作成し，アメリ
カに文化力で対抗しようとした。ペリー来航時の日米の交流で，力士がアメリカ
人と力比べをして勝利したこととも軌を一にする。

　文久遣欧使節では，ナポレオン3世の前で甲冑を帯びた武士が閲兵式に臨んで
注目された。また，甲冑そのものをプレゼントしたり，美しい屏風や，装飾を施
した和本を贈ったりした。

　日本が贈ったプレゼントは，欧米に残っていることが多い。欧米では，文物を
保存・公開する博物館が早くから発達した。例えば，大英博物館は1753年設立，
ルーブル美術館は1793年公開である。海外の博物館に日本の江戸時代の文化が
保存されているのである。反面，日本には贈られたものがあまり残ってはいない。
徳川将軍がオランダから献上された多くの西洋文物や，幕末日本を訪れた諸外国
の外交使節から贈られた品物は，江戸城の火災や明治維新期の「江戸無血開城」
の混乱，1873（明治6）年の太政官庁舎の火災などでほとんど失われてしまった。
日本の博物館の始まりは，1882年からだ。

■参考文献

岩下哲典「再検討，オランダ軍艦の長崎入津と国王親書受領一件」片桐一男編『日蘭交流史　その人・
物・情報』思文閣出版，2002
櫻庭美咲「ドイツにおける伊万里焼の収集と磁器陳列室の流行」『神田外語大学日本研究所紀要』第
11号，2019
関秀夫『博物館の誕生』岩波新書，2005
ビショッフ，コルドゥラ（住田翔子訳）「ドレスデンの『日本宮殿』」『立命館言語文化研究』第30巻第3
号，2019
横山伊徳「米国国立公文書館所蔵万延元年遣米使節関係文書について」『国立歴史民俗博物館研究報
告』第228集，2021

おわりに

　本シリーズ第2巻は，アジアの地域間交易が画期的な活況を見せた「大交易時代」，世界の一体化が一気に進んだ16世紀以降から，欧米列強によるアジアの植民地化が始まる19世紀半ば頃までを扱った。いわゆる「近世」や「初期近代」と呼ばれる時代であり，日本史ではファンの多い戦国時代から江戸時代末までで，多くの日本人になじみがある時代にあたる。

　数年前のある日，私が歴史の授業で種子島への「鉄砲伝来」を扱った時のことである。教科書では「1543年，ポルトガル人を乗せて，中国の寧波に向かう中国船が，種子島に漂着した。日本人とヨーロッパ人との最初の出会いである。領主の種子島時暁(ときたか)は，ポルトガル人の持っていた銃2丁を購入し，家臣にその使用法と製造法を学ばせた」と書いてある。そこでこの記述への疑問を生徒たちに問うてみると，何と生徒の半数から「なぜポルトガル人が中国船に乗っていたのか？」という疑問や「寧波行きの中国船が種子島へ漂着したことを不思議に思う」といった意見が出された。この結果に私は驚き，生徒たちが中学校で使用した歴史教科書を確認したところ，いずれも「ポルトガル人を乗せた中国船が種子島に流れ着いた」との記述があり，中には当時の東アジアの海の交易状況の記述や，それを受けて中国船を「倭寇の船」と記していたものもあった。つまり，中学校で習っていたにもかかわらず，生徒は大航海時代におけるポルトガル人のアジア進出の歴史と，日本列島を取り巻く交易環境についてリンクさせて捉えてはいなかったのである。ましてや，これらの海で活動した交易商人たちの船に乗ってキリスト教宣教師フランシスコ・ザビエルが日本へ到着できたという歴史認識は無いものと思われた。つまり，生徒たちは，個々の事実は知っていてもそれらをリンクさせて考える力が乏しかったために，その後の世界の一体化やヨーロッパ勢力のグローバルなヘゲモニーの確立の背景まで見通すことはできなかったものと思われる。

　2022年4月から全国の高等学校で実施されている「歴史総合」では，「地域─日本─世界」をつなげて考えることが求められている。しかし，学校現場では，週2時間の限られた時間で最後まで終わらせねばならないという思いから，「地域─日本─世界」という形でつなげて考えることがあまり行われていないと聞く。その一方で，堺の鉄砲鍛冶職人が，親方の仇を求めて17世紀前半の戦乱にあえぐヨーロッパの戦場をかけめぐる漫画「イサック」（講談社アフタヌーン連載）のような空想ものも少しずつ現れてきた。アニメや漫画などでは，日本と世界をつな

いで考えるようなものが出てきているにもかかわらず，学校現場では依然として一国史観から容易に抜け出せない状況に陥っている。漫画の方が学校現場より遥かに今日の歴史の研究状況を踏まえていることは明白である。

　個々の史実を「つなげて」考えることは，歴史の勉強だけに終わるものではない。一見，無関係のできごとや事象を「つないで」考えていくことで，新たなビジネスチャンスが生まれたり，無関係の人同士が出会うことで，新たな発想が生まれたりすることは，今日の社会では，頻繁におきていることだ。

　では，「地域―日本―世界」を「つなぐ」ことで重要視される点はどこにあるか。「つなぐ」こともさることながら，出発点の生徒が住む地域の史実に目を向けさせたい。生徒各人が生きている身近な地域に着目してほしいからだ。自分が住んでいる地域が，どのような景観を持った地域で，どのような歴史をたどり，どのような文化や産業を育んできたかを最低限知る必要があるように思う。その上で，同じような地域を日本や世界に求め，共通点や相違点をつないでいくことで，自分が住む地域の価値を再発見し，それを今後にどう活かすかを考える契機になる。これが，SOCIETY5.0の社会に生きていく次世代に求められている学力であると考える。

　新学習指導要領は，「社会に役立つ教育」をうたい，私が暮らす山口県でも「総合的探究」の時間で3年をかけて地域に根ざした教育を行うことが，県内すべての高等学校に求められている。一見，各学校には負担になるように思われるが，生徒に「学ぶことの本質＝社会で生きるための学び」を実感させ，自ら学ぶ人間を育てることにつながるように思われる。

　第2巻の編集作業にあたっては，第1巻に続いて岡美穂子氏，日本近世史が専門の岩下哲典氏に尽力いただき，佐野理恵子氏はじめ清水書院の編集部には多大なご協力を賜った。

　最終巻にあたる第3巻（井野瀬久美惠氏責任編集）も間もなく刊行される。広く長い歴史を見てきた作業の終着点として，現代の諸問題を「自分ごと」として捉え得る接合面を強く意識した構成となっている。第3巻の最大の特徴は，世界的に人類が共に目指すべき目標として設定されているSDGsの諸課題を，歴史の文脈の中で捉えようという点にある。皆様に披露できる日を楽しみにしている。

　2023年5月

編集委員代表　藤村泰夫

編者・執筆者紹介　　◎は本巻責任編集者，○は編集委員

◎**岩下　哲典**（いわした　てつのり）

　1962年生まれ。東洋大学文学部教授。専門は日本近世・近代史。

　主な著作は『江戸の海外情報ネットワーク』（吉川弘文館），『「文明開化」と江戸の残像』（ミネルヴァ書房），『江戸無血開城の史料学』（吉川弘文館），『見る・知る・考える　明治日本の産業革命遺産』（勉誠出版）など。

◎**岡　美穂子**（おか　みほこ）

　1974年生まれ。東京大学史料編纂所（大学院情報学環兼任）准教授。専門は16・17世紀の日本史と海域アジア史。

　主な著作は『商人と宣教師　南蛮貿易の世界』（東京大学出版会），『大航海時代の日本人奴隷』（共著，中央公論新社），*The Namban Trade*（BRILL）など。

○**井野瀬　久美惠**（いのせ　くみえ）

　1958年生まれ。甲南大学文学部教授。専門はイギリス近代史・大英帝国史。サントリー文化財団理事。

　主な著作は『大英帝国はミュージックホールから』（朝日選書），『子どもたちの大英帝国』（中公新書），『植民地経験のゆくえ』（人文書院），『大英帝国という経験』（講談社），『イギリス文化史』（編著，昭和堂）など。

○**藤村　泰夫**（ふじむら　やすお）

　1960年生まれ。山口県立西京高等学校教諭。日本列島各地と世界を結ぶ史実の教材化を提唱している。「地域から考える世界史」プロジェクト代表。

　主な著作は『地域から考える世界史　日本と世界を結ぶ』（編著，勉誠出版），『見る・知る・考える　明治日本の産業革命遺産　日本と世界をつなぐ世界遺産』（編著，勉誠出版），『世界史から見た日本の歴史38話』（共著，文英堂）など。

執筆者（50音順）

　石井　龍太（いしい　りょうた）

　武蔵大学人文学部教授。専門は近世琉球史の考古学。

　稲生　淳（いなぶ　じゅん）

　元和歌山県立和歌山商業高等学校校長。主な担当科目は世界史。

岩下　哲典（いわした　てつのり）
編者紹介を参照。

海原　亮（うみはら　りょう）
住友史料館主席研究員。専門は日本近世史・文化史。

岡　美穂子（おか　みほこ）
編者紹介を参照。

門井　寿通（かどい　としみち）
茨城県立石岡第二高等学校。主な担当科目は世界史，現在校では日本史・地理総合も担当。

金澤　裕之（かなざわ　ひろゆき）
防衛大学校防衛学教育学群准教授。専門は明治維新史・日本海軍史。

久礼　克季（くれ　かつとし）
川村学園女子大学非常勤講師。専門はインドネシア近世史・台湾近世史。

クレインス，フレデリック
国際日本文化研究センター研究部教授。専門は日欧交渉史。

後藤　敦史（ごとう　あつし）
京都橘大学文学部准教授。専門は幕末政治・外交史。

桜井　祥行（さくらい　よしゆき）
富士市立高等学校校長。専門は日本近代史，主な担当科目は日本史・世界史。

佐々木　和博（ささき　かずひろ）
東北学院大学東北文化研究所客員研究員。専門は大航海時代の考古学。

佐野　真由子（さの　まゆこ）
京都大学大学院教育学研究科教授。専門は外交史・文化交流史，文化政策学。

島田　竜登（しまだ　りゅうと）
東京大学大学院人文社会系研究科准教授。専門は南・東南アジア史，グローバル・ヒストリー。

白石　広子（しらいし　ひろこ）
歴史学博士（青山学院大学）。専門は近世東アジア海域史研究。

杉山　清彦（すぎやま　きよひこ）
東京大学大学院総合文化研究科・教養学部教授。専門は大清帝国史。

関　周一（せき　しゅういち）
宮崎大学教育学部教授。専門は日本中世史・海域アジア史。

塚越　俊志（つかごし　としゆき）
東洋大学非常勤講師。専門は日本近世・近代史。

都築　博子（つづき　ひろこ）
静岡理工科大学非常勤講師。専門は19世紀の日米太平洋史。

坪根　伸也（つぼね　しんや）
大分市教育委員会文化財課専門官。専門は中世考古学。

仲野　義文（なかの　よしふみ）
石見銀山資料館館長。専門は日本近世史・鉱業史。

濱口　裕介（はまぐち　ゆうすけ）
法政大学第二高等学校兼任講師。専門は日本近世・近代史，地理学史。

林　順子（はやし　よりこ）
南山大学経済学部教授。専門は日本近世史。

藤澤　紫（ふじさわ　むらさき）
國學院大學文学部教授。専門は日本美術史，日本近世・近代文化史，比較芸術学。

藤村　泰夫（ふじむら　やすお）
編者紹介を参照。

村井　章介（むらい　しょうすけ）
東京大学名誉教授。専門は日本中世史，対外関係史。

米谷　均（よねたに　ひとし）
早稲田大学商学部兼任講師。専門は日本中世・近世対外関係史。

ロックリー・トーマス
日本大学法学部准教授。専門は言語教育方法。

編集委員────井野瀬　久美惠
　　　　　　　岩下　哲典
　　　　　　　岡　美穂子
　　　　　　　藤村　泰夫

　本書 134 頁図 1 について，小山家文書原本は 1995 年の阪神淡路大震災の混乱時に持ち去られ，所在不明となっており，当時の所蔵者とも連絡がつかない状況です。当時の所蔵者の方，もしくはその関係者の方，小山家文書原本の現在の所在をご存じの方は清水書院編集部までご連絡をいただけますようお願い致します。
　株式会社清水書院　編集部　03-5213-7151（代表）

イラスト：岡本祐子

つなぐ世界史　2　近世

定価はカバーに表示

2023年 6 月 14 日　　　初　版　第 1 刷発行

責任編集　　岩下　哲典・岡　美穂子
発行者　　　野村　久一郎
印刷所　　　法規書籍印刷株式会社
発行所　　　株式会社　清水書院
　　　　　　〒102－0072
　　　　　　東京都千代田区飯田橋3－11－6
　　　　　　電話　03－5213－7151代
　　　　　　FAX　03－5213－7160
　　　　　　https://www.shimizushoin.co.jp

乱丁・落丁本はお取り替えします。　　　ISBN978－4－389－22602－2